Cuadernos de

gramática española

- Uso y práctica con más de 100 ejercicios
- Soluciones y transcripciones
- Glosario gramatical en inglés, alemán, francés, italiano y holandés

Cuadernos de
gramática española

A2

MARCO COMÚN EUROPEO DE REFERENCIA

Autores: Pilar Seijas y Sergio Troitiño
Coordinación pedagógica: Agustín Garmendia
Coordinación editorial y redacción: Ernesto Rodríguez, Sergio Troitiño

Diseño de cubierta: Luis Luján, Eduard Sancho
Diseño del interior y maquetación: Enric Font
Ilustraciones: Martín Tognola, Roger Zanni (pág. 81)
Fotografías: Pág. 21 Andrew7226/Dreamstime, Bright/Dreamstime, Xavigrap/Dreamstime, Purdkov/Dreamstime; pág. 25 Phillie Casablanca/Flickr, Fredo González/Flickr; págs. 33 y 34 Stuart Monk/Dreamstime; pág. 56 Stockjiggo/Dreamstime, Alfonso de Tomas/Dreamstime, Veronika Markova/Dreamstime, Pavel Kapish/Dreamstime, Aldodi/Dreamstime, Alarich/Dreamstime, Waxart/Dreamstime; pág. 67 O_C Colombia, Yellowind/Dreamstime; pág. 68 Ariwasabi/Dreamstime, Gerard Roche; pág. 80 Martinmark/Dreamstime, Lukeclemont/Dreamstime, Yuri Arcurs/Dreamstime; pág. 84 Luna4/Dreamstime

Todas las fotografías de www.flickr.com están sujetas a una licencia de Creative Commons (Reconocimiento 2.0 y 3.0).

Audio-mp3
Estudio de grabación: Blind Records
Locutores: Cristina Carrasco (España), Eduardo Díez (España), Julián Kancepolski (Argentina), Edith Moreno (España), Evlin Pérez (Venezuela), Laia Sant (España)
Música pistas 69-71: Prassonissi, Andrea Barone/JAMENDO

Todas las canciones de www.jamendo.com están sujetas a una licencia de Creative Commons (Reconocimiento-Compartir bajo la misma licencia 3.0)

© Los autores y Difusión, Centro de Investigación y Publicaciones de Idiomas, S.L., Barcelona 2012
ISBN: 978-84-15620-69-3
Depósito legal: B-19764-2012
Impreso en España por Novoprint
Reimpresión: junio 2015

difusión
Centro de
Investigación y
Publicaciones
de Idiomas, S. L

C/ Trafalgar, 10, entlo. 1ª
08010 Barcelona
Tel. (+34) 93 268 03 00
Fax (+34) 93 310 33 40
editorial@difusion.com

www.difusion.com

A2

MARCO COMÚN EUROPEO
DE REFERENCIA

Cuadernos de
gramática española

- *Uso y práctica con más de 100 ejercicios*
- *Soluciones y transcripciones*
- *Glosario gramatical en inglés, alemán, francés, italiano y holandés*

Pilar Seijas
Sergio Troitiño

Cuadernos de
gramática española

Hoy en día existe un amplio consenso sobre la importancia de la gramática en el proceso de aprendizaje de una lengua extranjera: casi todos los profesores y estudiantes comparten el principio según el cual la adquisición de una lengua requiere que los aprendientes presten atención a las formas.

Los enfoques orientados a la acción, en los que se inscriben los manuales publicados por nuestra editorial, han adoptado de manera decidida dicho principio y otorgan un papel destacado al estudio de la gramática, siempre desde una perspectiva comunicativa y que tiene en cuenta el significado.

El presente **Cuaderno de gramática** tiene como objetivo ayudar al desarrollo de las competencias lingüísticas del estudiante del nivel A2 –en especial las competencias léxica, gramatical y ortográfica–, a la vez que apoyar el avance en su competencia plurilingüe. Sus características son las siguientes:

IMPORTANCIA DEL SIGNIFICADO

Esta obra propone una comprensión y una práctica de la gramática basadas en el significado; es decir, que se procura que los estudiantes entiendan las implicaciones de utilizar una u otra forma. Además, los ejercicios destinados a la práctica de esas formas tienen en cuenta los contextos de uso y los diferentes tipos de texto en que se utilizan.

ADECUACIÓN AL MARCO COMÚN EUROPEO DE REFERENCIA Y A LOS NIVELES DE REFERENCIA DEL PLAN CURRICULAR DEL INSTITUTO CERVANTES

Su sílabo se ha diseñado teniendo en cuenta los descriptores del MCER para el nivel A2 y, muy especialmente, los exponentes del inventario de gramática de los niveles de referencia del Plan curricular del Instituto Cervantes.

USO AUTÓNOMO O GUIADO

De manera autónoma, el aprendiente puede buscar en el índice el tema gramatical que desea estudiar, acceder a las explicaciones ofrecidas y practicar su uso mediante los ejercicios. Como herramienta de aprendizaje guiado, el profesor puede utilizar las explicaciones del *Cuaderno* para aclarar los puntos gramaticales en los que quiera hacer hincapié y recomendar la realización de los ejercicios que considere oportunos.

USO INDEPENDIENTE O VINCULADO A UN MANUAL

Este *Cuaderno* se puede utilizar para complementar los cursos de nivel A2 basados en otros manuales, ya que está organizado según los temas gramaticales propios de los cursos de este nivel.

ATENCIÓN A LA ORALIDAD

Tradicionalmente, las obras de estas características no han incluido documentos auditivos. Aquí se ha considerado fundamental que los aprendientes estén expuestos a muestras de lengua oral y que comprendan las implicaciones que tienen algunos fenómenos gramaticales en dicha lengua. Así, cada unidad incluye uno o varios ejercicios de **comprensión auditiva** basados en documentos auditivos.

Audios descargables gratuitamente en:
www.difusion.com/cdge_a2

ATENCIÓN AL DESARROLLO DE ESTRATEGIAS

Bajo el epígrafe **ESTRATEGIA**, alumnos y profesores encontrarán en las unidades una o más notas en las que se hace una reflexión estratégica sobre el ejercicio realizado y se explica un recurso útil para aprender más y de manera más eficaz.

DESARROLLO DE LA COMPETENCIA PLURILINGÜE

En los ejercicios llamados **MUNDO PLURILINGÜE** se ofrece al alumno la posibilidad de comparar la lengua que está estudiando con otra u otras que conozca, de manera que pueda observar y sistematizar las posibles semejanzas y diferencias.

ESTRUCTURA CLARA Y OPERATIVA

Cada unidad contiene uno o varios cuadros con la exposición del tema gramatical abordado, seguidos de una serie de ejercicios (en los cuales se especifica su nivel correspondiente) relacionados con dicha explicación.

Además, este volumen ofrece un **GLOSARIO** de términos gramaticales, las **TRANSCRIPCIONES** de los ejercicios de comprensión auditiva y las **SOLUCIONES**.

Índice

Audios descargables gratuitamente en:
www.difusion.com/cdge_a2

El alfabeto

▶▶ El alfabeto español tiene 29 letras.

a	a	**j**	jota	**r**	erre
b*	be	**k**	ka	**s**	ese
c	ce	**l**	ele	**t**	te
ch	che	**ll**	elle	**u**	u
d	de	**m**	eme	**v***	uve
e	e	**n**	ene	**w**	uve doble
f	efe	**ñ**	eñe	**x**	equis
g	ge	**o**	o	**y**	ye/i griega
h	hache	**p**	pe	**z**	zeta
i	i	**q**	cu		

❗ **Atención:** en algunos países las letras **b** y **v** se llaman **be larga** y **ve corta**, respectivamente. En otros, sus nombres son **be grande** y **ve chica**.

▶▶ Las letras tienen género femenino.

> *la a*, *la b*, *la c...*

▶▶ Para ordenar alfabéticamente (por ejemplo, en un diccionario), no se considera que la **ch** o la **ll** son una letra sino la combinación de dos letras: **c+h** y **l+l**.

▶▶ Para indicar que una vocal lleva acento gráfico (o tilde) decimos **a con acento, e con acento**, etc.

▶▶ En general, a cada letra del alfabeto español le corresponde un sonido, pero hay algunos casos especiales.

letra	pronunciación	ejemplo
a	[a]	**a**ntes
b	[b]	**b**olsa
c	[k]	**c**asa
	[θ]/[s]	**c**ena
ch	[tʃ]	**ch**icle
d	[d]	**d**os
e	[e]	**e**sto
f	[f]	**f**ácil
g	[g]	**g**ato
	[χ]	**g**el
gu+e/i	[g]	**gu**ía
h	(no suena)	**h**ola
i	[i]	**i**r
j	[χ]	**j**amón
k	[k]	**k**ilo
l	[l]	**l**ápiz
ll	[j] o [ʎ]	**ll**uvia

letra	pronunciación	ejemplo
m	[m]	**m**ano
n	[n]	**n**oche
ñ	[ɲ]	a**ñ**o
o	[o]	**o**jo
p	[p]	**p**iso
qu+e/i	[k]	**qu**eso
r	[ɾ]	pu**r**o, sali**r**
	[r]	**r**opa, ma**rr**ón
s	[s]	**s**ol
t	[t]	**t**odo
u	[u]	**ú**til
v	[b]	**v**ida
w	[u]	**w**indsurf, ki**w**i
x	[ks]	e**x**acto
y	[j]	**y**o
z	[θ]/[s]	**z**apato

Los sonidos de **c**, **k**, **q** y **z**

▶▶ El sonido [k] se representa con las siguientes letras:

Con **c** en **ca**, **co**, **cu** y en final de sílaba.

> *ca*ra, *co*mida, *cu*rso, a*c*tor, do*c*tor

Con **qu** en **que**, **qui**.

> *que*dar, *qui*tar

▶▶ Con **k** en algunas pocas palabras de origen extranjero.

> *k*etchup, *K*enia, *k*ilómetro, *k*araoke

El sonido [θ] se representa con las siguientes letras:

Con **c** en **ce**, **ci**.

> *ce*rca, *ci*nco

Con **z** en **za**, **zo**, **zu** y a final de palabra.

> *za*nahoria, *zo*na, *zu*rdo, capa*z*

Y con **ze**, **zi** en unas pocas palabras especiales.

> *zé*nit, *zi*nc

▶▶ En toda América, parte del sur de España y en las Canarias no existe el sonido [θ]; en su lugar se pronuncia **[s]**.

1 TE LO DELETREO

A. Vas a escuchar a algunas personas deletreando sus apellidos. Toma nota.

01/04

1. ....

....

2. ....

....

3. ....

....

4. ....

....

B. Ahora tú vas a deletrear. Elige tres nombres importantes para ti, por ejemplo tu apellido, el nombre de tu ciudad y el nombre de alguien a quien admiras. Si estás en clase, deletréaselos a tus compañeros; ellos van a tener que adivinar de qué se trata.

2 UN POQUITO, POR FAVOR

A. Subraya las sílabas que tienen el sonido [k], como en **casa**, en las siguientes palabras. Después, comprueba tus respuestas escuchando la grabación.

05

tranquila	cebolla	aspecto	pinchos
parque	caballo	copa	alquiler
vecino	acción	corto	chicos
aquí	parecer	mosca	kiosco

B. Ahora vas a escuchar algunas palabras de la misma familia que estas cuatro. Intenta escribirlas.

06

1. poco ....

....

2. rico ....

....

3. kiosco ....

....

4. mosca ....

....

3 ¿CEREZAS EN ESCOCIA?

A. Escucha estas palabras y señala con un círculo las sílabas en que se produce el sonido [θ], como **cinco**.

07

☐ 1. deducir ☐ 6. Escocia

☐ 2. eficaz ☐ 7. cereza

☐ 3. dirección ☐ 8. catorce

☐ 4. brazos ☐ 9. cazuela

☐ 5. cabeza ☐ 10. baloncesto

B. Clasifica las palabras anteriores según el tipo de sílaba en que se da el sonido [θ].

Sílaba que empieza por **c**	Sílaba que empieza por **z**	Sílaba que acaba en **z**

C. Ahora intenta escribir las palabras que vas a escuchar.

08

1. ....

2. ....

3. ....

4. ....

ESTRATEGIA

Para pronunciar [θ] intenta pronunciar [s], pero con la lengua entre los dientes. Es el mismo sonido de **th** en la palabra inglesa *three*. Puedes pronunciar las palabras del ejercicio anterior y grabarte. Después puedes comparar tu pronunciación con la grabación del ejercicio.

Los sonidos representados por las letras g y j

▶ El sonido [χ] se representa con las siguientes letras:

Con **g** en **ge**, **gi**.

gente, gimnasio

Con **j** en **ja**, **je**, **ji**, **jo**, **ju**.

jamón, ejército, jirafa, joven, judía

Con **x** en palabras como:

México, mexicano, Texas, Oaxaca

Con **h** en palabras extranjeras como:

Hawái, heavy

🔧 **Atención:** las palabras con **je**, **ji** son bastante menos frecuentes que las palabras con **ge**, **gi**. Se escriben con **je**, **ji** palabras que derivan de otras con **j**.

caja → *cajero, cajita*
ojo → *ojear, ojito*
trabajar → *trabajé*

También se escriben con **je** los nombres que terminan en **-aje**, **-jería**.

paisaje, viaje, cerrajería

Y las formas irregulares del pretérito indefinido de **traer** (**traje**), **decir** (**dijiste**) y de los que terminan en **-ducir** (**condujeron**).

▶ El sonido [g] se representa con las siguientes letras:

Con **g** en **ga**, **go**, **gu**.

pagar, gordo, gusto

Delante de **l**, **r**.

glaciar, grande

Con **gu** en **gue**, **gui** (la letra **u** no se pronuncia).

guisante, guerra

🔧 **Atención:** en la combinación **gü** + **e/i**, la letra **u** sí se pronuncia.

bilingüe, pingüino

🔧 **Atención:** entre vocales, el sonido de la **g** es más suave [ɣ].

agua, regar

4 **GEMA Y GUILLERMO SON PAREJA**

🔊 09 **A.** Escucha la pronunciación de estas palabras y clasifícalas en una de las dos columnas.

agenda · jefe · Guillermo · energía · gustar · gerente · gracia

[g], como en guapo	[χ], como en joven

B. Ahora intenta pronunciar estas otras palabras y clasifícalas en el cuadro del apartado **A**.

imaginar · gueto · Gloria · lejía
mensaje · guardia · Gema · pareja
grabación · mujer · gobierno · espejo
gorra · juntos

Los sonidos representados por las letras b/v, r y ll/y

▶▶ El sonido [b] se representa con las letras **b** y **v**.

> *baño, beso, billete, botas, bueno, blusa, broma, vaca, vez, vino, voz, vuelo*

❶ **Atención:** cuando **b** y **v** van después de una vocal, el sonido es más suave [β].

> *saber, avión*

▶▶ La **r** representa dos sonidos diferentes:

Uno suave, [ɾ], que corresponde a la **r** después de una vocal.

> *duro, caro, corto, amor*

También después de las consonantes **b, c, d, f, g, p, t.**

> *bravo, crudo, drama, frío, grupo, precio, tren*

Un sonido fuerte, [r], que vibra más y que pertenece a una **r** a principio de palabra.

> *ruso, Roma*

Y a **rr** entre dos vocales.

> *carro, perro*

▶▶ El sonido [ʝ] se representa con varias letras:

Con **y** delante de vocal.

> *ya, yema, yogur, yuca*

Con **ll.**

> *llave, lleno, allí, llorar, lluvia*

❶ **Atención:** cuando la **y** va a final de sílaba después de una vocal, se pronuncia igual que la letra **i** a final de sílaba:

> *soy* [soj]*, oigo* [ojɡo]

❶ **Atención:** en algunas regiones del Cono Sur el sonido representado por las letras **y** y **ll** se pronuncia de manera diferente: [ʒ] (similar a *jour* en francés); o [ʃ] (como *she* en inglés).

❶ **Atención:** en algunos lugares la **ll** tiene una pronunciación diferente de la **y** y se corresponde con el sonido [ʎ], parecido al del italiano *gli*.

5 **¿VALENCIA O PALENCIA?**

🔊 Marca en cada caso cuál es la frase que oyes.

10/14

☐ 1. a. Vivo en Valencia.
b. Vivo en Palencia.

☐ 2. a. Me gusta el vino.
b. Me gusta el pino.

☐ 3. a. Para comer ha traído un bollo.
b. Para comer ha traído un pollo.

☐ 4. a. Juan tiene una beca.
b. Juan tiene una peca.

☐ 5. a. Estoy buscando el baño.
b. Estoy buscando el paño.

¿Palencia tiene playa?

No, eso es una foto de Valencia.

6 ARROZ CON MARISCO FRESCO

🔊 **A.** Escucha estas palabras y clasifica su sonido escribiendo al lado ɾ (sonido suave) o r (sonido fuerte).
15

- ☐ 1. perro
- ☐ 2. marisco
- ☐ 3. padre
- ☐ 4. barro
- ☐ 5. arroz
- ☐ 6. pera
- ☐ 7. rubia
- ☐ 8. fresco
- ☐ 9. Conrado
- ☐ 10. barco
- ☐ 11. leer
- ☐ 12. problema

🔊 **B.** Ahora lee las siguientes palabras con la pronunciación adecuada. Después, escucha la audición y comprueba si lo has hecho bien.
16

1. abierto
2. rápido
3. puerro
4. puerto
5. Roberto

6. verde
7. rojo
8. Enrique
9. bailar

ESTRATEGIA

Para pronunciar [ɾ] tienes que hacer vibrar la punta de la lengua una vez. Para pronunciar [r] tienes que hacer vibrar la punta de la lengua varias veces. Atención: para producir estos sonidos no debes usar la garganta. Si el sonido que produces se parece a [g] o a [χ] no estás usando la parte adecuada de la boca.

Las vocales, los diptongos y los triptongos

⏩ En español hay cinco vocales. Distinguimos entre vocales abiertas (**a, e, o**) y vocales cerradas (**u, i**). También existen los diptongos, formados por dos vocales seguidas que se pronuncian en la misma sílaba, y los triptongos, formados por tres vocales seguidas pronunciadas en la misma sílaba.

Los diptongos está formados por una vocal abierta y una cerrada o por dos cerradas.

a,e,o + i,u

bailar, reina, Europa, oigo, Paula

i, u + a, e ,o

ciencia, camión, cuando, cuento, cuota

i, u + u , i

Luis, cuidado, diurno

Los triptongos está formados por una vocal abierta y dos cerradas.

i, u + a , e , o + i , u

estudiáis, averiguáis, actuéis

❗ **Atención:** dos vocales abiertas no forman un diptongo, es decir, que se pronuncian en sílabas distintas.

a-é-re-o.

Abuelo, ¿huerto tiene diptongo?

No, un huerto tiene zanahorias, tomates, patatas...

El acento y la tilde (I)

➤➤ Una sílaba es la vocal o el grupo de vocales y consonantes que pronunciamos de un solo golpe de voz en una palabra. En todas las palabras con más de una sílaba siempre hay una que se pronuncia más fuerte que las otras (sílaba fuerte o tónica). El acento (o sílaba fuerte) puede estar en diferentes posiciones.

última sílaba	penúltima sílaba	antepenúltima sílaba
⬜⬜⬜⬛ ven ti la **dor**	⬜⬜⬛⬜ es pa **ño** la	⬜⬛⬜⬜ his **tó** ri co
⬜⬜⬛ mu si **cal**	⬜⬛⬜ car **te** ro	⬛⬜⬜ **rá** pi do
⬜⬛ ca **lor**	⬛⬜ **me** sa	

➤➤ En español se coloca un acento gráfico o tilde sobre una vocal de la sílaba tónica de algunas palabras para saber cuál es la pronunciación de esas palabras. Un método sencillo de saber cuándo una palabra debe llevar el acento gráfico consiste en dividir las palabras en dos grupos.

Grupo 1: palabras acabadas en vocal, **-n** o **-s**. En este tipo de palabras la sílaba tónica suele estar en penúltima posición.

moda, sano, comen, peras

Grupo 2: palabras acabadas en otras letras. En este tipo de palabras la sílaba fuerte suele ser la última.

legal, capaz, regar, verdad, realidad

Cuando una palabra no sigue la pronunciación más frecuente de las palabras de su grupo, lleva el acento gráfico para señalar cuál es su sílaba fuerte.

café, francés, melón [grupo 1]
lápiz, árbol, cáncer [grupo 2]

Por estas mismas reglas, todas las palabras cuya sílaba fuerte es la antepenúltima, llevan acento gráfico.

sábado, páginas, dámelo [grupo 1]
Júpiter, déficit [grupo 2]

🙂 **Atención:** el grupo vocal + **y** funciona, en lo que respecta a la tilde, como terminado en consonante diferente de **n** o **s**.

convoy, póney

El grupo consonante + **s** funciona como terminado en consonante diferente a **s**.

robots, bíceps

🙂 **Atención:** los diptongos funcionan igual que una vocal simple en lo que respecta a la acentuación.

com-pe-ten-cia [grupo 1, sílaba fuerte en la penúltima sílaba]
ca-mión [grupo 1, sílaba fuerte en la última sílaba]

En los diptongos, el acento gráfico va siempre sobre la vocal abierta (**a, e, o**) y en el caso de los diptongos compuestos por **i** e **u**, en la segunda de las dos.

cuídate, lingüístico

Pero en los casos en los que las dos –o tres– vocales no forman diptongo o triptongo (se pronuncian en sílabas distintas), usamos el acento gráfico para indicarlo.

en-ví-o, dí-a, sa-lí-a, a-ún

7 SABER ESPAÑOL ES ÚTIL

🔊 **A.** Escucha con atención estas palabras. Divide
17 sus sílabas y marca cuál es la sílaba fuerte. Ten en cuenta que faltan los acentos.

1. util	**8.** bebeis	**15.** simpaticas
2. camiseta	**9.** alquilo	**16.** jardin
3. musical	**10.** limpiais	**17.** movil
4. alli	**11.** fiesta	**18.** examen
5. familiar	**12.** español	**19.** azul
6. saber	**13.** futbol	**20.** jabon
7. alquilo	**14.** atico	**21.** azucar

ⓤ y til   ca / mi /ⓢⓔ/ ta

B. Ahora clasifícalas en el grupo al que pertenecen usando la siguiente tabla. Finalmente, decide si llevan acento gráfico y escríbelo sobre la vocal correspondiente.

GRUPO 1: final en vocal, -n o -s				
5.ª sílaba	4.ª sílaba	antepenúltima sílaba	penúltima sílaba	última sílaba
	ca	mi	se	ta

GRUPO 2: final en otras letras				
5.ª sílaba	4.ª sílaba	antepenúltima sílaba	penúltima sílaba	última sílaba
			ú	til

E STRATEGIA

El acento y la tilde (II)

▶▶ Las palabras que tienen una sola sílaba no llevan acento gráfico, excepto en algunos pocos casos en los que es necesario diferenciar dos palabras con la misma forma pero de categorías diferentes.

Para acentuar correctamente, tendrás que saber antes cómo se pronuncian las palabras. Al leer, fíjate en las tildes y recuerda las reglas para reconocer las sílabas fuertes.

El libro cuesta 9 euros. [artículo]
Mi casa está lejos de aquí. [posesivo]
Luis se va a casa. [pronombre reflexivo]
Si quieres salimos esta tarde. [condicional]
¿Te gusta pasear en otoño? [pronombre personal]
¿Esa es tu casa? [posesivo]
¿Eres de Cuenca? [preposición]
Vino, mas no se quedó. [equivalente a **pero**]

Él es Juan. [pronombre personal]
A mí me encanta bailar. [pronombre personal]
Yo sé hablar un poco de italiano. [verbo **saber**]
Sí, por favor. [adverbio afirmativo]
Quiero un té, por favor. [sustantivo]
Tú eres Noelia, ¿no? [pronombre personal]
No le dé comida al perro. [verbo dar]
¿Quieres más agua? [adverbio]

Todas las partículas interrogativas y exclamativas llevan tilde. Cuando estas palabras cumplen otras funciones, no la llevan.

INTERROGATIVAS: **qué, quién/quiénes, cuál/cuáles, dónde, cuándo, cómo, cuánto/a/os/as, por qué…**

EXCLAMATIVAS: **qué, cómo, cuánto/a/os/as, quién/quiénes…**

¿Qué color prefieres, el rojo o el amarillo?

Nico ha aprobado el examen, ¡qué buena noticia!

8 BIOGRAFÍA LLEVA ACENTO EN LA I

Este texto es una breve biografía de la escritora Laura Restrepo en el que faltan todos los acentos gráficos. Colócalos tú.

BIOGRAFIAS

Entre armas y palabras

Una escritora comprometida con la dura realidad de su pais, Colombia.

Laura Restrepo nacio en Bogota en 1950. Estudio Filosofia y Letras, formacion que completo con un postgrado en Ciencias Politicas. A los diecisiete años, ya daba clases de literatura en una escuela y, concluidos sus estudios, paso a enseñar en la Universidad Nacional de Colombia.

A finales de los años setenta, vivio en España y luego se marcho a Argentina a reclutar medicos y enfermeras para Nicaragua. En este pais paso cuatro años en los que pudo observar la dureza de la dictadura militar de Somoza. A su regreso a Colombia, comenzo su actividad como periodista en la revista *Semana*.

En 1983 fue nombrada por el presidente Belisario Betancur miembro de la Comision de Paz, encargada de mediar entre el Gobierno y la guerrilla M-19. El fracaso de las negociaciones y las amenazas de muerte forzaron a la escritora a abandonar el pais. Tras su periodo de exilio en Mexico, volvio a su pais en 1989, cuando el M-19 abandono sus armas y se convirtio en un partido legal.

Ha publicado los siguientes libros: *Historia de un entusiasmo* (1986), *La isla de la pasion* (1989), *Leopardo al sol* (1993), *Dulce compañia* (1995, Premio Sor Juana Ines de la Cruz y Premio de la Critica Francesa Prix France Cultura), *La novia oscura* (1999), *La multitud errante* (2001), *Olor a rosas invisibles* (2002) y *Delirio* (2004, Premio Alfaguara). Ademas, es autora del libro para niños *Las vacas comen espaguetis*.

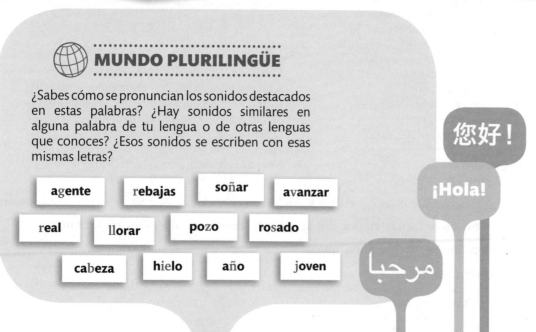

🌐 MUNDO PLURILINGÜE

¿Sabes cómo se pronuncian los sonidos destacados en estas palabras? ¿Hay sonidos similares en alguna palabra de tu lengua o de otras lenguas que conoces? ¿Esos sonidos se escriben con esas mismas letras?

agente   rebajas   soñar   avanzar

real   llorar   pozo   rosado

cabeza   hielo   año   joven

您好！

¡Hola!

مرحبا

Nombres propios y nombres comunes

▶▶ Con los nombres o sustantivos designamos a personas, animales, objetos, conceptos y entidades. Existen dos clases de nombres: los nombres propios y los nombres comunes.

▶▶ Los nombres propios designan un único referente que puede ser una persona, una entidad o un lugar determinado. Se escriben con mayúscula.

Pedro, Chile, Ebro, Universidad de Salamanca

▶▶ Nombres de persona. Dentro de este grupo están el nombre (**María**), el apellido (**Sánchez**), los diminutivos (**Mari**) y las formas de tratamiento (**doña María, señora Sánchez**).

Los nombres y los apellidos no llevan artículo. Solo se usa el artículo para referirse a una persona mediante la fórmula **señor/señora** + apellido, pero no para dirigirse directamente a esa persona.

*La nueva directora se llama ø **María**.*

*ø **Rodríguez** es un futbolista estupendo.*

*ø **Sr. Velasco**, le presento a la **Sra. Linde**.*

*ø **Sra. Linde**, este es el **Sr. Velasco**.*

¿Qué es esto, Martínez?

No sé, Sr. Pérez, ¿un recibo de teléfono?

▶▶ Nombres de lugar: países, ciudades, accidentes geográficos, etc.

Los nombres de países no suelen llevar artículo, pero

algunos países pueden llevarlo, de manera optativa.

(la) Argentina, (el) Perú, (el) Ecuador, (la) China, (el) Congo, (la) India, (el) Brasil, etc.

Tampoco llevan artículo los nombres de regiones, islas o ciudades.

Aragón, Zaragoza, Mallorca

Los nombres de lugar con una denominación plural o compuesta suelen llevar artículo:

los Países Bajos, los Estados Unidos de América, las Islas Baleares, la República Dominicana

❸ **Atención:** existen algunos nombres de lugar cuyo artículo forma parte del nombre.

El Salvador, La Habana, La Haya, La Meca, etc.

En estos casos, el artículo es obligatorio y se escribe también con mayúscula.

▶▶ Son nombres propios los nombres de instituciones, empresas, entidades, organismos, etc.

Instituto Cervantes, Centro de lenguas Ruiz, Médicos sin fronteras

▶▶ También son nombres propios los títulos y nombres de obras hechas por el hombre (obras de arte, científicas, etc.).

Cien años de soledad, el Partenón

❸ **Atención:** hay una serie de nombres que, sin tener un referente único, se usan con mayúscula. Entre ellos, los nombres de festividades (**Navidad, Pascua**), de cargos (**Director de arte**), de disciplinas científicas o académicas (**Física, Filología**) y de épocas históricas (**el Renacimiento**).

▶▶ Los nombres comunes designan a todas las personas, animales o cosas (concretas o abstractas) que pertenecen a una clase o especie (es decir, que no son únicos). Los nombres comunes se escriben con minúscula y pueden llevar un artículo u otro determinante:

el río, una niña, mi clase, este año, un accidente

❸ **Atención:** los nombres de periodos temporales (días de la semana, meses del año…) y los adjetivos de procedencia y nombres de pueblos se consideran nombres comunes y se escriben con minúscula:

enero, lunes, argentino, esquimal

1 TU TABLA

Completa la siguiente tabla con sustantivos que tú conoces.

Nombres propios		
personas	lugares	otros
Javier	Tajo	la Giralda

Nombres comunes		
noche		

Hola mamá, estoy en Sevilla, es preciosa. ¿No sabes qué es? Es una ciudad de España..., no..., España es un país, mamá. De Europa. Sí, mamá, Europa es un continente.

El género de los sustantivos (I)

↔ Los sustantivos pueden ser masculinos o femeninos. Es importante saber el género de un sustantivo (masculino o femenino), porque todos los elementos que lo acompañan (artículos, adjetivos, demostrativos, etc.) deben tener el mismo género, es decir, concordar.

Los sustantivos tienen un género determinado; o son masculinos o femeninos.

⏩ En general, son masculinos los siguientes sustantivos.

Los sustantivos acabados en **-o**:

> el puebl**o**, el muse**o**, el perr**o**

Excepciones:

> **la** man**o**

Los sustantivos acabados en **-aje**, **-ón** y **-or**:

> el pais**aje**, el coraz**ón**, el profe**sor**

Los sustantivos de origen griego que terminan en **-ema** y **-oma**:

> el sist**ema**, el probl**ema**, el dipl**oma**

⏩ Por lo general, son femeninos los siguientes grupos de sustantivos.

Los sustantivos acabados en **-a**:

> la cart**a**, la películ**a**

Excepciones:

> **el** dí**a**, **el** map**a**

❶ **Atención:** los nombres de los colores son siempre masculinos aunque tengan la terminación **-a**:

> **el** (color) naranj**a**, **el** (color) ros**a**

Los sustantivos acabados en **-ción**, **-sión**, **-dad**, **-tad** y **-ez**:

> la ac**ción**, la ten**sión**, la liber**tad**, la madur**ez**

2 UN RÍO MUY LARGO

Completa estas frases con el artículo indefinido (**un/una**) correspondiente y el final de las palabras.

1. El Amazonas: _un_ río muy larg_o_ y muy anch_o_ .

2. El Titicaca: .... lago muy alt.............. .

3. Astigarraga: .... pueblo pequeñ..............
cercan.............. a San Sebastián.

4. San Telmo: .... barrio muy bonit.............. de
Buenos Aires.

5. El MIM: .... museo interactiv.............. muy
modern.............. de Santiago de Chile.

6. El 6 de diciembre: .... día festivo en España.

7. Las Bárdenas: .... paisaje desértic..............
muy bell.............. .

8. La Panamericana .... carretera larguísim.............. que atraviesa América.

9. *Los otros*: .... película muy existos..............
de Alejandro Amenábar.

10. Caracas: .... ciudad muy atractiv..............
llen.............. de sorpresas.

11. El dominó: .... diversión típic.............. de
muchos países practicad.............. especialmente
por persona mayores.

12. La sequía: .... problema muy antigu..............
en España.

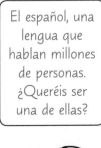

El español, una lengua que hablan millones de personas. ¿Queréis ser una de ellas?

El género de los sustantivos (II)

▶▶ Pueden ser masculinos o femeninos los siguientes grupos de sustantivos.

Los sustantivos acabados en **-e**.

> *el hombre, el mueble, la nube, la calle*

Los sustantivos terminados en otras consonantes.

> *el currículum, la piel, la miel*

▶▶ Algunos sustantivos que se refieren a personas y algunos referidos a animales suelen tener dos formas: una para el masculino y otra para el femenino.

> *alumno/alumna, primo/prima, perro/perra*

Muchos sustantivos que terminan en **-o** forman el femenino correspondiente terminado en **-a**.

> *novio/novia, chico/chica*

Si la forma del masculino termina en **-r**, el femenino se forma añadiendo una **-a**.

> *señor/señora, profesor/profesora*

▶▶ En algunos casos existe una palabra diferente para cada sexo.

> *el hombre/la mujer, el padre/la madre, el caballo/la yegua*

▶▶ Los sustantivos que terminan en **-a** (incluyendo los que terminan en **-ista**) y, en general, los que terminan en **-e**, (incluyendo los que terminan en **-ante** y **-ente**), tienen una sola forma para ambos géneros:

> *el/la atleta, el/la guía, el/la periodista, el/la artista; el/la intérprete, el/la estudiante, el/la cantante, el/la paciente*

▶▶ Algunos sustantivos que terminan en **-e** tienen un femenino terminado en **-a**.

> *jefe/jefa; presidente/presidenta, cliente/clienta*

▶▶ En algunos casos el género diferente se expresa por una terminación diferente.

> *el actor/la actriz, el príncipe/la princesa, el alcalde/la alcaldesa*

3 CARÁCTER

A. Todos los sustantivos que aparecen a continuación indican cualidades de carácter. Complétalos con el artículo (**el/la**) correspondiente y colócalos en el cuadro.

..... impaciencia   ..... egoísmo
..... sinceridad   ..... timidez
..... alegría   ..... pereza
..... tristeza   ..... amabilidad
..... sensibilidad   ..... inteligencia
..... estupidez   ..... rapidez
..... pesimismo   ..... madurez
..... simpatía   ..... paciencia

-ismo	-dad	-eza
M/F	M/F	M/F

-cia	-ez	otros en -a
M/F	M/F	M/F

B. Ahora marca si los sustantivos de cada columna son masculinos (**M**) o femeninos (**F**).

C. ¿Cuáles son las características que hacen a algunas personas "perfectas"? Busca en el diccionario las que no sabes en español.

1. Las características del médico perfecto: ....
la amabilidad, ...
....
....
....

2. Las características del profesor perfecto: ....
....
....
....
....

3. Las características del padre perfecto: ....
....
....
....
....

4. Las características del alumno perfecto: ....
....
....
....
....

El plural de los sustantivos

⏩ Los sustantivos tienen formas diferentes para el singular y para el plural.

Los sustantivos que terminan en vocal forman el plural añadiendo una **-s**.

> *tesoro/tesoros, amiga/amigas*

Los sustantivos que terminan en consonante forman el plural añadiendo **-es**.

> *árbol/árboles, canción/canciones*

💡 **Atención:** si la palabra termina en **-z**, el plural se escribe con **-ces**.

> *lápiz/lápices*

Los sustantivos que terminan en **-s** y tienen como sílaba tónica la última y los monosílabos que terminan en **-s** forman el plural añadiendo **-es**.

> *autobús/autobuses, país/países, mes/meses, tos/toses*

Los demás sustantivos que terminan en **-s** no cambian en el plural.

> *el/los martes, el/los cumpleaños*

💡 **Atención:** algunos sustantivos se utilizan normalmente en plural, pero designan un solo objeto.

> *los pantalones, las gafas, las tijeras*

---

4 ¿UNA VEZ O DOS VECES?

A. Escribe el plural de estos sustantivos.

1. mano:
2. mina:
3. emoción:
4. beso:
5. base:
6. mes
7. vez:
8. as:
9. túnel:
10. pelo:
11. lavavajillas:
12. pez:
13. sillón:
14. señal:
15. tambor:

B. Coloca ahora las palabras anteriores en el lugar que les corresponde. Completa el cuadro con otras palabras que conozcas, puedes consultar tu libro de texto o un diccionario.

plural con -s	plural con -es	-z/ces	singular = plural

---

5 A VECES, ALGUNAS VECES

Completa este asociograma y crea otros para cinco palabras más que te parezcan interesantes.

Traducción: | Frase: ¿Has estado alguna vez en Móstoles? | Expresiones: a veces, de vez en cuando

Plural: | Sustantivo: | Palabras derivadas:

E STRATEGIA
Una técnica para recordar el vocabulario y para conocerlo mejor es hacer mapas como este.

Los adjetivos

» Los adjetivos son palabras que dan información sobre las características de cosas o personas (que se expresan, normalmente, mediante un sustantivo). Los adjetivos concuerdan con ese sustantivo en género (masculino o femenino) y en número (singular o plural).

» La posición normal de los adjetivos es después del sustantivo al que acompañan.

> una <u>calle</u> **oscura**
> un <u>piso</u> **enorme**
> unas <u>cajas</u> **vacías**
> unos <u>hombres</u> **simpáticos**

Atención: algunos adjetivos, como **antiguo**, **bueno**, **malo**, **grande**, **pequeño**, **difícil**, **pobre**, **viejo**, etc., también van frecuentemente antes del sustantivo, en algunos casos, con un significado diferente.

> Es un coche **grande**. [grande de tamaño]
> ≠ Es una **gran** coche. [grande en calidad]

> Es un niño **pobre**. [sin recursos económicos]
> ≠ Es un **pobre** niño. [indefenso, desvalido]

Atención: los adjetivos **bueno**, **malo** y **grande** tienen formas especiales cuando van antes de un sustantivo. Delante de un sustantivo masculino singular, usamos **buen** y **mal**. Delante de un sustantivo singular (masculino o femenino) usamos **gran**.

> un **buen** día
> una **mala** semana
> un **gran** deportista
> una **gran** oportunidad

» Los adjetivos pueden llevar cuantificadores para graduar la intensidad de las características que expresan.

> un regalo **muy especial**
> una casa **bastante vieja**
> unas botas **demasiado caras**

Los adjetivos también pueden ir introducidos por los verbos **ser**, **estar** y **parecer**.

> Belén <u>es</u> **alta**.

> Su padre <u>es</u> **genial**.

> Álvaro <u>está</u> **contento**.

> Julia <u>parece</u> **agradable**.

1 ¿GENIAL ES UN ADJETIVO?

A. ¿Cuáles de estas palabras son adjetivos? Márcalos.

bonita	genial	verde
bañera	dónde	delgado
hola	terraza	caluroso
hablo	examen	inteligente
cerveza	cuaderno	correctamente
	andaluza	harta

B. Ahora piensa en seis adjetivos más y escríbelos aquí. Si no estás seguro, consulta un diccionario.

....

....

....

....

....

....

....

ESTRATEGIA

En muchos diccionarios puedes encontrar, junto a la definición de una palabra, la abreviatura **a.** o **adj.** que indica que se trata de un adjetivo.

2 COCHES

🔊 Observa este anuncio de una empresa de alquiler de coches. Vas a escuchar a cuatro
18 personas que llaman para alquilar un vehículo. Anota las características específicas
21 de los coches que quieren. ¿Cuál recomendarías a cada uno?

1. Características: ...., ..., ..., ... Coche: ....

2. Características: ...., ..., ..., ... Coche: ....

3. Características: ...., ..., ..., ... Coche: ....

4. Características: ...., ... Coche: ....

3 UNA TARDE IDEAL

Completa cada frase (1, 2 y 3) con las formas adecuadas de uno de los siguientes
adjetivos: **grande**, **bueno** y **malo**.

1. Para mí una tarde ideal es tomar un .... café y tener una .... conversación con

mis amigos.

2. ¡Qué horror! Hoy he tenido muy .... día: en el trabajo, en las clases y con mi novio. Creo que

ha sido .... idea levantarme de la cama por la mañana.

3. Suiza es un país pequeño pero muy importante. Tiene una .... industria relojera, ...

.... empresas de alimentación y un sector financiero muy .... y poderoso.

El género de los adjetivos

▶▶ La mayoría de los adjetivos tiene dos terminaciones: una para el masculino y otra para el femenino.

Los adjetivos con la forma masculina singular terminada en **-o**, construyen sus formas femeninas correspondientes cambiando la -**o** por una -**a**.

> *rápido/rápida*

Los adjetivos con la forma masculina singular terminada en **-or** y en vocal tónica + **n**, construyen sus formas femeninas correspondientes añadiendo una -**a**.

> *hablador/habladora; dormilón/dormilona*

Los adjetivos de procedencia con forma masculina singular terminada en consonante, construyen sus formas femeninas correspondientes añadiendo una -**a**.

> *español/española; alemán/alemana; inglés/inglesa*

▶▶ Hay otro grupo de adjetivos que tiene una sola forma para el masculino y el femenino.

Son los adjetivos terminados en **-e**, en **-ista** y en **-l, -n, -r, -z**.

> *un hombre/una mujer **elegante**
> un pensamiento/una organización **pacifista**
> un mapa/una guía **útil**
> un lugar/una idea **común**
> un asunto/una reunión **familiar**
> un día/una familia **feliz***

También, los adjetivos de procedencia terminados -**a, -ense, -í** y -**ú**.

> *un pueblo/una ciudad **belga**
> un ciudadano/una ciudadana **estadounidense**
> un escritor/una película **iraní**
> un palacio/una tradición **hindú***

4 CARTELERA DE CINE

A. Lee las fichas de dos películas en español y responde a las siguientes preguntas.

1. ¿Cuál tiene más contenido social? ....
....

2. ¿Cuál es la más fantástica? ....
....

3. ¿Cuál te parece apropiada para todo tipo de público? ....
....

LAS MUJERES DE VERDAD TIENEN CURVAS (2002)

Nacionalidad
Estadounidense

Género
Drama/comedia

Directora
Patricia Cardoso

Argumento
Ana es una chica **hispana** de 18 años, un poco **gordita** y muy **inteligente**. Ana vive en Los Ángeles con su familia en una zona **pobre** de la ciudad. Aunque Ana tiene la oportunidad de ser la primera persona de su familia que puede ir a la universidad, su madre no está de acuerdo. Dice que Ana tiene que ser una chica **latina normal**: tener un trabajo no **especializado**, un **buen** novio y, sobre todo, ser **delgada**.

[●REC]

Nacionalidad: española
Género: terror/misterio
Directores: Jaume Balagueró y
Paco Plaza

Argumento:
Una noche, Ángela, una **joven** periodista de una cadena de televisión **local**, sigue con su cámara a los bomberos de la ciudad mientras estos intentan ayudar a una mujer **anciana** con una enfermedad muy **extraña**. Dentro del viejo edificio donde vive la señora pasa algo **inexplicable** y Ángela va a grabar el reportaje **televisivo** más **sorprendente** y **terrorífico** de su vida: una epidemia de zombies.

B. Ahora observa los adjetivos destacados en negrita y clasifícalos en la siguiente tabla.

masculino	femenino	Una única terminación: masculino y femenino
	hispana	

5 EL TAJ MAHAL ES...

Relaciona estas cosas famosas con un país y escribe frases usando el adjetivo de procedencia con la forma adecuada.

Taj Mahal	Casablanca	lambrusco
Louvre	caipiriña	Oktoberfest
alemán	francés	marroquí
hindú	italiano	brasileño

1. El _____ es un monumento _____.
2. La _____ es una bebida _____ .
3. _____ es una ciudad _____.
4. El _____ es un vino _____ .
5. La _____ es una fiesta _____ .
6. El _____ es un museo _____ .

El plural de los adjetivos

Los adjetivos tienen una forma para el singular y otra para el plural.

Los adjetivos que en singular terminan en vocal, construyen las formas plurales correspondientes añadiendo una -s.

*un río **largo**/unos ríos **largos***
*una novela **corta**/unas novelas **cortas***

Los adjetivos que en singular terminan en consonante, construyen sus formas plurales correspondientes añadiendo -es.

*un día **normal**/unos días **normales***
*un chico **trabajador**/unos chicos **trabajadores***

Los adjetivos de procedencia singulares que terminan en -í o -ú, construyen sus formas plurales añadiendo -s o -es.

*un mercado **marroquí**/unos mercados **marroquís*** [o marroquíes]
*una leyenda **hindú**/unas leyendas **hindús*** [o hindúes]

6 YO SIEMPRE MÁS

Alonso siempre quiere ser más que los demás. Completa las siguientes frases con los adjetivos que les corresponda.

1. El invierno aquí es **frío**, pero los inviernos de mi pueblo son mucho más ....

2. Tu chaqueta es **nueva**, pero mis pantalones son mucho más ....

3. Tu novio es **trabajador**, pero mis hermanas son mucho más ....

4. Este cuarto es **acogedor**, pero las habitaciones de mi casa son mucho más ....

5. Tú eres **dormilona**, pero mis primos son mucho más...

6. Este perro es muy **feroz**, pero las perras de la granja de mis padres son mucho más ....

7. Tú conoces a un chico **israelí**, pero yo conozco a muchas chicas...

8. El mar es **azul**, pero mis ojos son más ....

> Tú eres fuerte, pero yo soy el más fuerte.

7 ¿QUÉ ES?

A. Lee las cinco descripciones y relaciónalas con los cinco alimentos.

1. Es líquido, negro, amargo y se toma caliente.
2. Es francés, dulce, suave y se puede comer con mermelada.
3. Es redondo, blanco por fuera y se puede comer frito, revuelto o cocido.
4. Es amarillo y ácido pero muy refrescante.
5. Puede ser amarilla o marrón, es muy dulce y bastante pegajosa.

- ☐ a. un huevo
- ☐ b. un limón
- ☐ c. un cruasán
- ☐ d. la miel
- ☐ e. el café

B. Escribe las definiciones 2, 3 y 4 en plural (recuerda que los adjetivos no son las únicas palabras que cambian en plural).

2. ....
....

3. ....
....

4. ....
....

C. Ahora intenta pensar en, al menos, cinco alimentos e intenta describirlos tú con la máxima cantidad de adjetivos posible. Si estás en clase, tus compañeros tienen que adivinar de qué se trata.

1. ....
....

2. ....
....

3. ....
....

4. ....
....

5. ....
....

La comparación de sustantivos

➤➤ Para comparar las cantidades de sustantivos (personas, cosas, conceptos abstractos...) usamos **más ... que, menos ... que** y **tanto/a/os/as ... como**.

> *Natalia tiene* **más** *hermanos* **que** *tú.* [superioridad]

> *Joaquín tiene* **más** *paciencia* **que** *tú.* [superioridad]

> *Febrero tiene* **menos** *días* **que** *marzo.* [inferioridad]

> *Bruno conoce* **tantos** *lugares interesantes* **como** *yo en esta ciudad.* [igualdad]

> *Pues la verdad es que tu piso tiene* **tantas** *habitaciones y* **tanta** *luz* **como** *el mío.* [igualdad]

🔘 **Atención:** tanto/a/os/as concuerdan en género y número con el sustantivo al que acompañan.

➤➤ Cuando, por el contexto, está claro con **quién** o con **qué** estamos comparando algo, no es necesario expresar la segunda parte de la comparación.

> *Ya, pero mi piso tiene* **más** *cuartos de baño.* [...que el tuyo]

🔘 **Atención:** cuando la segunda parte de la comparación es un pronombre personal sin preposición, usamos las formas de sujeto.

> *Gertrud habla* **más** *lenguas* **que tú** *y* **que yo.**
> *[...que ti y que mí.]*

🔘 **Atención:** para expresar inferioridad, frecuentemente se usan las formas de igualdad negadas.

> *Tú* **no** *tienes* **tanta** *paciencia* **como** *Edith.* [=tú tienes menos paciencia que Edith]

> Yo tengo menos años que tú, pero parezco más vieja.

> Usa mi mascarilla antiarrugas, ¡hace milagros!

1 OFERTAS DE VACACIONES

A. Observa estas dos ofertas de vacaciones y piensa cuál te gustaría escoger. Si es necesario, busca en un diccionario las palabras que no conozcas.

Lima y Cuzco (Perú)

- Billetes de avión ida y vuelta (vuelo con escala en Madrid y Bogotá).
- 10 noches de alojamiento en hoteles de 3 *** (6 noches Lima) y 4 **** (4 noches Cuzco).
- Desayuno incluido.
- 2 cenas gastronómicas.
- Excursión 1: visita guiada al barrio de Miraflores.
- Excursión 2: visita al centro histórico de El Callao y viaje en barco hasta la Isla de San Lorenzo.
- Excursión 3: subida guiada al Machu Picchu.

Precio para dos personas:
junio: 4595€, IVA incluido // septiembre: 4150€, IVA incluido.

Ciudad de México (México)

- Billetes de avión ida y vuelta (escala en Madrid).
- 9 noches en hotel de 4 ****.
- Desayuno incluido.
- 3 cenas gastronómicas.
- Excursión 1: visita guiada a Coyoacán y a los museos de Frida Kahlo y León Trotski.
- Excursión 2: visita a Xochimilco y paseo en barca por sus canales.
- Excursión 3: visita a las pirámides de Teotihuacán.
- Excursión 4: visita guiada a la Sierra de Ajusco.

Precio para dos personas:
mayo: 2955€, IVA incluido.

B. Ahora escucha la grabación y señala a cuál de las dos ofertas se refiere cada persona.

22/27

1. ....

2. ....

3. ....

4. ....

5. ....

6. ....

2 MÁS MUSEOS

A. Después de hacer los viajes anteriores, dos personas han respondido un cuestionario contando sus experiencias en una página web de viajes: www.recomiendaviajes.dif. ¿Te parecen útiles?

www.recomiendaviajes.dif

¿Has visitado algún museo?	
Bianca. México D. F.	Sí, el museo de Frida Kahlo y también el de Diego Rivera.
Lars. Lima y Cuzco	Sí, el Museo Larco de arte precolombino. ¡Lo recomiendo!
¿Has practicado algún deporte de aventura?	
Bianca. México D. F.	Sí, bicicleta de montaña junto al volcán Ajusco, a dos horas al sur del D. F.
Lars. Lima y Cuzco	Sí, surf en El Callao, cerca de Lima. También montañismo en el Machu Picchu.
¿Puedes recomendar algún restaurante?	
Bianca. México D. F.	Sí, uno que se llama Contramar. ¡Buenísimo!
Lars. Lima y Cuzco	En Lima, sin duda Astrid y Gastón. En Cuzco... pues Pacha Papa.
¿Has salido alguna noche?	
Bianca. México D. F.	Un par de noches. Una por el barrio de Polanco y otra en Coyoacán.
Lars. Lima y Cuzco	¿Salir? Dos veces, por el barrio de Miraflores. Está muy bien.
Has tenido problemas con...	
Bianca. México D. F.	¡Con el tráfico! En el D. F. hay muchísimos coches. También con un taxi ilegal.
Lars. Lima y Cuzco	Hay que negociar el precio de los taxis. ¡Uf!, es un poco pesado.
¿Has hecho muchas fotos?	
Bianca. México D. F.	Sí, bastantes, unas 200, creo. ¡Hay mucho que ver!
Lars. Lima y Cuzco	Claro que sí. No sé cuántas, unas 200 quizás.
¿Has traído recuerdos?	
Bianca. México D. F.	Sí, unos pendientes de plata para mi hermana, un sombrero mexicano para mi novio y tequila para mis padres.
Lars. Lima y Cuzco	Solo una flauta andina para decorar mi habitación.

B. Compara sus experiencias y acaba las frases en tu cuaderno usando **más/menos ... que** y **tanto/a/os/as ... como.**

1. Bianca ha visitado...
2. Lars ha tenido...
3. Lars ha practicado ....
4. Bianca ha hecho..
5. Bianca recomienda ....
6. Bianca ha traído ....
7. Lars ha salido...

Entonces, Lars, ¿me recomiendas el Museo Larco?

¡No creo!

Es mejor que el de Frida Kahlo, ¡seguro!

La comparación de verbos

Para comparar la intensidad, la cantidad y la frecuencia de las acciones usamos **más ... que, menos ... que, tanto ... como.**

*Las deportivas de cuero <u>duran</u> **más que** las de tela.* [superioridad]

*Dicen que los chicos <u>hablan</u> **menos que** las chicas, pero eso es una tontería.* [inferioridad]

*<u>Trabajo</u> **tanto como** Abel, pero no gano lo mismo.* [igualdad]

*Un europeo medio <u>consume</u> **tanto como** 15 habitantes de Kenia.* [igualdad]

Atención: normalmente no repetimos el verbo en la segunda parte de la comparación.

*Yo <u>ando</u> **tanto como** <u>tú</u>.* [Yo **ando tanto** como tú andas]

Cuando por el contexto está claro con **quién** o con **qué** estamos comparando, no es necesario expresar la segunda parte de la comparación.

*Santiago ha pedido dos platos y postre. Yo <u>he comido</u> **menos**.* [...que él]

Atención: cuando la segunda parte de la comparación es un pronombre personal sin preposición, usamos las formas de sujeto.

*Mamá dice que Úrsula estudia **más que** tú.* [...que ti]

3 EL ESPAÑOL EN LOS CINCO CONTINENTES

A. Lee estos datos sobre las lenguas en el mundo y señala los que no conoces y los que más te sorprenden. Después, completa las siguientes afirmaciones referidas al español, usando **más, menos** o **tanto** y señalando en cada caso si se debe usar **que** o **como**.

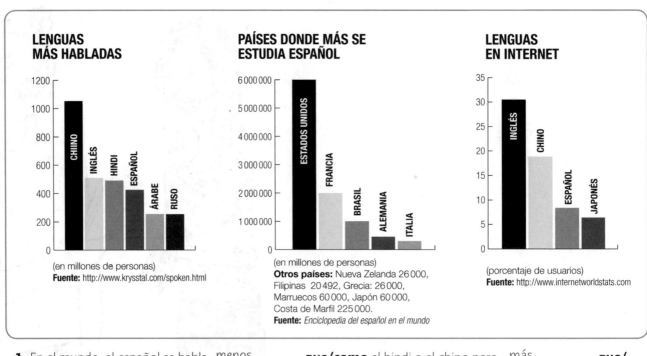

LENGUAS MÁS HABLADAS
(en millones de personas)
Fuente: http://www.krysstal.com/spoken.html

PAÍSES DONDE MÁS SE ESTUDIA ESPAÑOL
(en millones de personas)
Otros países: Nueva Zelanda 26 000, Filipinas 20 492, Grecia: 26 000, Marruecos 60 000, Japón 60 000, Costa de Marfil 225 000.
Fuente: Enciclopedia del español en el mundo

LENGUAS EN INTERNET
(porcentaje de usuarios)
Fuente: http://www.internetworldstats.com

1. En el mundo, el español se habla ..._menos_............ **que/como** el hindi o el chino pero ..._más_............ **que/ como** el árabe.

2. En el mundo, el inglés se habla .... **que/como** el hindi pero .... **que/como** el chino.

3. El árabe se habla aproximadamente .... **que/como** el ruso pero mucho .... **que/ como** el inglés.

4. Sobre el español, podemos decir que los italianos lo estudian .... **que/como** los franceses.

5. En América y en Europa, el español se estudia .... **que/como** en África, Asia y Oceanía.

6. En Japón, el español se estudia .... **que/como** en Nueva Zelanda.

7. En Costa de Marfil, el español se estudia .... **que/como** en Marruecos.

8. En internet, el español se usa .... **que/como** el alemán, aunque .... **que/como** el inglés o el chino.

B. Ahora escribe frases sobre las mismas cuestiones, pero cambiando el primer elemento de la comparación.

1. En el mundo, el hindi se habla ....

2. En el mundo, el ruso se habla ....

3. (el español) Los franceses lo estudian ....

4. (el español) En África se estudia ....

5. (el español) En Oceanía se estudia ....

6. (el español) En Marruecos se estudia ....

7. Para navegar en internet, el japonés se usa ....

8. Para navegar en internet, el chino se usa ....

La comparación de adjetivos y adverbios

⏩ Para comparar la intensidad de adjetivos y adverbios, usamos **más ... que, menos ... que, tan ... como** (o **igual de ... que**).

> *Marcial es **más** <u>joven</u> **que** Marcos* [superioridad], *pero conduce **más** <u>prudentemente</u> **que** él.* [superioridad]
> *La madera es **menos** <u>dura</u> **que** el hierro.* [inferioridad]
> *Mi camiseta es **tan** <u>bonita</u> **como** la tuya. (o ...**igual de** <u>bonita</u> **que**...).* [igualdad]

⏩ Como pasa en las demás comparativas, si no es necesario repetir el segundo elemento, este no aparece. En ese caso, si la comparación es de igualdad, se expresa únicamente con **igual de...**

> *El reloj de oro es **más** <u>caro</u> **que** el de acero, pero yo creo que es **menos** <u>elegante</u>.*

> *Estefanía estudia piano desde hace **menos** <u>tiempo</u> **que** Bárbara, pero toca **igual de** <u>bien</u>.*

⏩ Los adjetivos **bueno, malo, grande** y **pequeño**, y los adverbios **bien** y **mal** tienen formas especiales para la comparación. Estos adjetivos comparativos tienen una única forma para el masculino y para el femenino.

> ***mejor*** [= más bueno/bien]

> ***peor*** [= más malo/mal]

> ***mayor*** [= más grande]

> ***menor*** [= más pequeño]

⏩ **Mejor** y **peor** se usan sobre todo para comparar una idea de calidad.

> *Te recomiendo esta chaqueta, es **mejor que** la tuya para la lluvia, porque es impermeable.*

> *Este reloj nuevo siempre se retrasa. Funciona **peor que** el viejo.*

❓ **Atención:** cuando hablamos de la bondad o maldad de una persona (en términos de carácter) usamos **más bueno** y **más malo**.

> *Aitor es **más bueno** que otros niños, siempre es amable con su profesora.*

⏩ **Mayor** y **menor** se usan para hablar del tamaño y de la cantidad.

> *La población de España es **menor que** la de Francia.*

> *El gasto de petróleo hoy es mucho **mayor que** hace 20 años.*

⏩ Pero para comparar el tamaño físico, también se usan **más grande** y **más pequeño**.

> *Un sillón es **más grande** que una silla, pero **más pequeño** que un sofá.*

⏩ **Mayor** y **menor** se usan también para comparar la edad de las personas.

> *Aunque yo soy **mayor** que Luis y mucho **menor** que Paco, los tres tenemos amigos en común.*

> Este Cuaderno de gramática es mejor que otros cuadernos.

4 JUANA Y SUS HERMANAS

🔊
28
A. Todos dicen que Juana y sus hermanas se parecen mucho. Aquí tienes unas imágenes de las cuatro. Obsérvalas y señala en qué coinciden y en qué se diferencian. Vas a escuchar lo que dice una de ellas sobre Juana. ¿Puedes decir quién está hablando?

Juana, 30 años → Adriana, 43 años → Ana, 16 años → Mariana, 35 años →

B. Vuelve a escuchar la grabación y observa qué comparaciones hace. Después compara tú a Adriana y a Mariana con Juana. Usa la ficha que te proponemos aquí y otra que puedes escribir tú.

Edad: mayor/menor

- Nombre: ....

- Es .... que Juana. **Cuerpo:** alta/baja, delgada/gordita

- Es .... que/como ella y está

  más/menos/tan .... que/como ella.

  .... que/como Juana, y/pero

- Tiene el pelo .... **Pelo:** largo/corto, liso/rizado, claro/oscuro

  más/menos .... y ....

- Lleva ropa más .... que ella.

Estilo de ropa: formal/informal, moderna/deportiva

Los artículos de primera mención o indeterminados

	masculino	femenino
singular	**un** hombre	**una** mujer
plural	**unos** hombres	**unas** mujeres

Atención: cuando el artículo indeterminado va seguido de un sustantivo femenino que empieza por una **a** tónica, para facilitar la pronunciación normalmente usamos **un** en lugar de **una**.

*Es **un** aula demasiado pequeña.*

PERO *Son unas aulas demasiado pequeñas.*

Usamos los artículos indeterminados para introducir un elemento que se menciona por primera vez y se presenta como algo no conocido.

*Hay **una** señora esperándote en la recepción.*

*Tengo **una** cosa para ti.*

*Van a venir a comer **unos** amigos de Paula.*

También se utiliza para hacer referencia a un elemento cualquiera de una cierta categoría.

*¿Me dejas **un** bolígrafo?* [No importa qué bolígrafo: uno cualquiera]

El artículo indeterminado puede utilizarse sin sustantivo, de forma parecida a un pronombre, para referirse a un elemento de la misma categoría que otro ya mencionado. En este caso no se usa **un,** sino **uno**.

*¿Tienes <u>cámara de fotos</u>? Quiero comprarme **una** y necesito consejo.* [=una cámara de fotos]

*Tengo dos <u>diccionarios</u> de inglés y **uno** de francés.* [=un diccionario de francés]

Tengo un regalo para maría, es una caja de bombones.

1 EN EL ZOO

Dos amigos están de vacaciones en una ciudad y van al zoo. Completa las frases con el artículo adecuado: **un (uno), una, unos, unas.**

1. ● Es curioso: esta es .... ciudad muy pequeña, pero tiene .... zoo muy grande.
   ○ Y parece muy moderno. Además tiene .... área especial de insectos muy interesante.

2. ● También hay varios tipos de osos: ahí hay .... oso gris y, en el otro lado, ... osos polares.
   ○ Y mira: ahí hay .... águila.

3. ● Tengo mucha sed, necesito .... fuente.
   ○ He visto .... en la entrada, ¿vamos?
   ● Uy, ¡qué lejos! Entonces mejor compramos .... botella de agua.

Artículos de segunda mención o determinados

	masculino	femenino
singular	**el** día	**la** noche
plural	**los** días	**las** noches

Atención: cuando el artículo femenino singular **la** va seguido de un sustantivo que comienza por **a** o **ha** tónicas, se sustituye obligatoriamente por el artículo **el**.

*el **a**ula, el **á**guila, el **ha**cha*

Los usamos para hablar de algo que ya está en el contexto de la comunicación, porque ya se ha mencionado antes o porque se conoce o presupone su existencia.

● *Hay unas maletas en la entrada.*
○ *Sí, son **las** maletas de Ana, que se va hoy de viaje.* [estamos hablando de unas maletas determinadas]

*¿Dónde están **los** servicios?* [se presupone que hay servicios]

*¿Puedes cerrar **la** puerta?* [solamente hay una puerta abierta cerca de las personas que hablan]

➡ Podemos también utilizarlos para identificar un elemento dentro de un grupo. En este caso, se puede omitir el sustantivo.

> *¿Qué botas prefieres?¿**Las** marrones* [=las botas marrones] o ***las** negras* [=las botas negras]*?*

➡ Los usamos también con valor genérico, para referirnos a una categoría en general o a un concepto abstracto.

> *Leer **el periódico** sirve para estar informado.*

> ***El perro** es el mejor amigo de**l hombre**.*

> ***La libertad** es un valor importante en nuestra Constitución.*

➡ Se utilizan con valor posesivo con sustantivos que expresan partes del cuerpo, ropa y otras posesiones de las que se supone que solo hay una.

> *Lávate **la** cara. ~~Lávate tu cara.~~*

> *Tienes **los** zapatos sucios.*

> *Me duele **la** cabeza. ~~Me duele mi cabeza.~~*

> *He llevado **el** coche al mecánico.*

⚡ **Atención:** cuando **el** sigue a las preposiciones **a** o **de**, se produce la contracción **al** o **del**, excepto si el artículo forma parte del nombre propio.

> *ir **al** cine; venir **del** teatro, PERO ir a El Cairo.*

2 LOS NUEVOS O LOS VIEJOS

Completa estas preguntas de un test con el artículo determinado correspondiente: **el, la, los, las.**

1. ¿Qué pan prefieres? ¿ .... blanco o .... integral?
2. ¿Qué prefieres? ¿ .... té o .... café?
3. ¿Qué eliges? ¿ .... libertad o .... amor?
4. ¿Qué te gusta más? ¿ .... casas o .... pisos?
5. ¿Qué usas más? ¿ .... móvil o .... teléfono fijo?
6. ¿Qué te gusta más? ¿ .... rosas o .... tulipanes?
7. Para moverte: ¿ .... metro o .... bus?
8. Para viajar: ¿ .... tren o .... avión?

3 EN CASA

En casa de los Urrutia las mañanas son muy movidas. Todos hacen preguntas y se dan órdenes. Completa las conversaciones siguientes con el artículo determinado correspondiente **el, la, los, las** o las contracciones **al, del**.

1. ● Celia, ¿a qué hora sales hoy .... trabajo? ¿Puedes ir tú a buscar a .... niños .... cole?
   ○ Vale, pero ya sabes que .... coche está en .... garaje. Tomaremos.............. tren de las seis.

2. ● Aitor, lávate.............. manos antes de salir de casa.

3. ● Idoia, no te olvides .... mochila y mete .... libro de ciencias.

4. ● Mamá, ¿qué pantalones me pongo? ¿.............. rojos o .... verdes?
   ○ Mejor ponte .... falda nueva, está limpia.

5. ● Aitor: tómate ya .... zumo de naranja: .... vitamina C es muy buena para no ponerse enfermo.
   ○ No me gusta .... zumo. Hoy solo me bebo .... leche, ¿vale?

6. ● Celia, me duele muchísimo .... cabeza. ¿Dónde están .... aspirinas?
   ○ En .... lugar de siempre: en .... armario del cuarto de baño.

7. ● ¡Marcos! ¿Dónde están .... niños? ¿Están viendo .... tele otra vez?
   ○ No. Están en .... jardín, jugando con .... perro.

Cuándo usar artículo (I)

➤ Normalmente, no utilizamos artículos con sustantivos no contables (que no podemos contar, como **aceite**, **agua**, **sal**, etc.) cuando queremos expresar una cantidad no determinada de ese sustantivo.

Tengo que comprar ø pan, aceite y agua.

Este postre se hace con ø harina y ø mantequilla.

➤ Sí utilizamos artículos determinados con sustantivos no contables, para referirnos a algo de lo que se ha hablado antes.

*Se pone **la** harina en un recipiente grande y se mezcla con **la** mantequilla...*

➤ En general, no utilizamos artículos con nombres contables en plural cuando nos referimos a una cantidad indeterminada.

En su trabajo recibe ø llamadas de clientes, escribe ø cartas comerciales y realiza ø informes.

➤ No se usan los artículos con los posesivos que van antes del sustantivo, pero sí se usan los indeterminados –con su valor habitual– cuando el posesivo aparece después del sustantivo.

~~la mi hermana~~   ~~una mi prima~~
una *prima mía* [=una prima de las que tengo]

➤ Los artículos indeterminados **unos**/**unas** se utilizan con los numerales con el valor de «aproximadamente». Los determinados se utilizan con su valor habitual.

*Es muy barato, vale **unos** 20 euros.*
[aproximadamente]

***Los** dos hijos de Celia son inseparables.*

¿Qué prefieres, los bombones o las flores?

4 ¡TOMA GALLETA! (1)

A este artículo, aparecido en una revista local, le faltan algunos artículos. Ponlos allá donde sean necesarios: **el/la/los/las/un/una/unos/unas.** Ten en cuenta que no siempre son necesarios.

La ciudad y sus gentes

Enriqueta es .... (1) amiga mía que tiene .... (2) tienda muy especial. Seguramente la conocéis: es .... (3) tienda de galletas de la Avenida de la Libertad número 5 que se llama ¡Toma galleta! .... (4) galletas de Enriqueta están hechas exclusivamente con .... (5) leche, ... (6) harina integral, ... (7) huevos de una granja ecológica, ... (8) azúcar moreno y .... (9) frutos secos de cultivo ecológico. Enriqueta compra .... (10) estos productos directamente a .... (11) productores, excepto .... (12) azúcar, que lo compra a .... (13) ONG de comercio justo que trabaja con .... (14) granjeros del sur de Brasil y .... (15) leche, ¡que es de .... (16) su propia granja! En .... (17) su tienda no solo vende .... (18) galletas, sino también .... (19) bombones de chocolate de Guatemala, ... (20) muesli, ... (21) y miel. Todo realmente delicioso.

Cuándo usar artículo (II)

⏩ No se utilizan artículos con verbos como **tener** cuando hablamos de elementos de los que es esperable tener uno (en singular) o varios (en plural).

> ¿Tienes ø coche?

> ¿La urbanización tiene ø zonas verdes?

> Juan no tiene ø ordenador en casa.

> ¿El hotel tiene ø habitaciones con jacuzzi?

⏩ En general, no se utilizan artículos antes de nombres de personas, continentes, países y ciudades, excepto cuando los artículos forman parte del nombre: **La Haya**, **El Cairo**, **El Salvador**. Con algunos países, el uso es opcional: (**el**) Perú, (**la**) Argentina, etc. Sí se utiliza el artículo determinado delante de nombres de accidentes geográficos.

> ¿Conoces a **María**?   ~~¿Conoces a la María?~~

> Voy a hacer un viaje **a Chile**.   ~~al Chile~~

> ¿**El Amazonas** nace en **los** Andes?

> Voy a hacer un viaje **a (la) Argentina**.

⏺ **Atención:** no utilizamos los artículos indeterminados antes de **otro/a/os/as**, pero sí los determinados.

> ● He visto a la Dra. Díaz con ø otra mujer, ¿quién es?
> ○ Es **la otra** médica de la empresa.

⏩ Los nombres comunes en función de sujeto siempre van determinados (con artículo u otros determinantes), lo que incluye al verbo **gustar** y similares.

> Los gatos son animales domésticos.   ~~Gatos son animales domésticos.~~

> Le gustan las películas de acción.   ~~Le gustan películas de acción.~~

5 ¡TOMA GALLETA! (2)

A. Esta es la segunda parte del artículo. Aquí también faltan algunos artículos. Ponlos allá donde sean necesarios: **el/la/los/las/un/una/unos/unas.** Atención: no siempre son necesarios.

La ciudad y sus gentes

Enriqueta es .... (1) persona muy especial. No tiene .... (2) móvil ni .... (3) coche, y en la tienda no hay .... (4) caja registradora ni se aceptan .... (5) tarjetas de crédito. Pero es .... (6) mujer muy emprendedora y .... (7) granjera con visión de futuro. Además de .... (8) tienda de .... (9) Avenida de la Libertad, tiene .... (10) otra tienda en .... (11) Barcelona. .... (12) dos tiendas tienen .... (13) mismo nombre, y es propietaria de .... (14) granja dedicada a .... (15) producción de leche en .... (16) sierra de Aralar.

B. Ahora escribe tú un texto similar al de los ejercicios 4 y 5 hablando de alguien de tu ciudad o de un personaje de ficción.

6 ¿QUIÉN ES RUIZ ZAFÓN?

Relaciona cada pregunta con la respuesta que le corresponde y completa después las frases con los artículos necesarios. Algunas de las frases no necesitan artículo.

a. ¿A ti cuál te gusta más?

b. He visto a .... madre de Pedro esta mañana.

c. ¿Has traído bocadillos?

d. ¿Te gustan .... viajes organizados?

e. ¿Quién es esta chica?

f. ¿Dónde nos encontramos?

g. ¿A qué se dedica Rosa?

h. ¿Quién es Ruiz Zafón?

i. ¿Tienes .... coche?

j. ¿Me trae .... cuenta por favor?

☐ **1.** Sí, ahora mismo.

☐ **2.** No, me parecen aburridísimos.

A **3.** ..El.... rojo, ...el...otro es feísimo.

☐ **4.** Sí, tengo .... de chorizo y .... de queso. ¿Cuál prefieres?

☐ **5.** ¿Sí? ¿Y qué te ha dicho?

☐ **6.**..................... amiga mía que vive en Valencia.

☐ **7.** Es .... profesora, trabaja en una escuela de idiomas.

☐ **8.** Sí, ... Volkswagen Polo.

☐ **9.** .... autor de la novela que estoy leyendo.

☐ **10.** En .... bar que está al lado del cine.

Me he dejado el portátil en casa, sin él no puedo hacer la presentación que tengo para la clase de Lengua que hay a primera hora. ¿Tienes ordenador?

De las variaciones entre el español de España y el de El Salvador.

Sí, tengo uno, pero no aquí. ¿de qué es la presentación?

6 | Los demostrativos

Los demostrativos y los adverbios de lugar

▶▶ Usamos los demostrativos para referirnos a algo o a alguien teniendo en cuenta la distancia de lo referido con respecto a las personas que participan en la comunicación.

masculino singular	este	ese	aquel
femenino singular	esta	esa	aquella
masculino plural	estos	esos	aquellos
femenino plural	estas	esas	aquellas
adverbios de lugar	aquí	ahí	allí

▶▶ Cuando quien habla y quien escucha están en espacios diferentes, quien habla puede indicar cosas dentro de su espacio (**este, esta, estos, estas**) y dentro del espacio de quien escucha (**ese, esa, esos, esas**). A veces, puede ser necesario distinguir un tercer espacio más lejano (**aquel, aquella, aquellos, aquellas**).

▶▶ Cuando quien habla y quien escucha tienen un espacio común, pueden indicar cosas que se encuentran dentro de su espacio (**este, esta, estos, estas**) y fuera de su espacio (**ese, esa, esos, esas**). A veces, puede ser necesario distinguir un tercer espacio más lejano (**aquel, aquella, aquellos, aquellas**).

¡Me encanta este jersey! Me lo llevo. Y ese ¿qué tal?

Este no tiene nada de especial.

¿Esos chicos son de la escuela?

El alto, sí. A ese otro no lo conozco.

▶▶ Los adverbios demostrativos de lugar sirven para referirnos a los espacios y equivalen a las construcciones **en este lugar** (**aquí**), **en ese lugar** (**ahí**) y **en aquel lugar** (**allí**).

● He quedado **aquí** a las 9 h con Jairo y Jorge, pero no hay nadie.
○ ¿Por qué no vas a la librería Páginas? A lo mejor los encuentras **allí**.

● ¿Dígame?
○ Hola Paco, te llamo para saber qué tiempo hace **ahí**. Salimos dentro de media hora...
○ Pues ahora mismo **aquí** no hace muy buen tiempo, coged cadenas para la nieve.

🔔 **Atención:** **acá** y **allá** son formas equivalentes de **aquí** y **allí** y su uso es más frecuente en Hispanoamérica, pero son de uso general en algunas expresiones lexicalizadas, como **más (para) allá** y **más (para) acá**.

● ¿Ponemos **aquí** el armario?
○ No, mejor un poco **más allá**.

1 GEMA Y PAZ

Los demostrativos pueden expresar si algo está en el espacio del hablante o de la persona que lo escucha. Completa las explicaciones de cada diálogo.

Paz: Esa blusa me encanta. ¿De dónde es?

Gema: Del mismo sitio que ese jersey. ¡Los compramos el mismo día!

1. Paz lleva ....

2. Gema lleva ....

Paz: Esta carne tiene un aspecto buenísimo.

Gema: Pues sí, y esas patatas también tienen buena pinta.

3. La carne está en el plato de ....

4. Las patatas están en el plato de ....

Paz: Ese libro me encanta. Lo he leído 3 veces.

Gema: Mmm... pues yo me estoy aburriendo.

5. El libro lo tiene ....

Paz: ¿Para qué es este dinero?

Gema: Para pagar ese café.

6. .... está tocando el dinero.

7. El café está al lado de ....

Con sustantivo o sin sustantivo

Cuando los demostrativos acompañan a un sustantivo, solemos decir que actúan como adjetivos y normalmente se sitúan antes de dicho sustantivo. Pero cuando ya está claro cuál es el sustantivo que están indicando, pueden ir solos y se dice que actúan como pronombres.

Los demostrativos concuerdan en género y en número con el sustantivo al que se refieren.

- ● *Estos platos están sucios, hay que lavarlos.*
- ○ *¿Y esos?*
- ● *Esos están limpios, y estas tazas también.*

Todos estos demostrativos pueden ir delante de numerales y de **otro/a/os/as**. También puede ir detrás de **todo/a/os/as**.

- ● *Estas* <u>dos</u> *actividades son correctas. Pero esas* <u>otras</u>, *no.*
- ○ <u>Todos</u> *estos ordenadores funcionan mal.*

Atención: cuando no acompañan a un sustantivo, los demostrativos pueden escribirse con acento gráfico (**éste/ése/aquél**...). Solo es necesario escribirlo en los casos en los que es posible confundirlos con un demostrativo actuando como adjetivo, lo que no ocurre casi nunca.

2 MI ESPACIO O TU ESPACIO

Completa estas frases con los demostrativos más adecuados.

1. ● Mira, ... es mi compañera de piso, Magda, y .... es un compañero de la facultad, Juan Jorge.

○ Hola, ¿qué tal?

2. ● ¿Ves a .... chica que está a la derecha de mi padre?

○ ¿La que está hablando con Javier?

● Exacto. Pues .... es mi hermana.

○ Y .... que está al otro lado de Javier?

3. ● Señoras y señores: .... pieza que tengo en mis manos es una obra de arte única.

4. ● Tere, ¿por qué llevas .... gafas? No te quedan bien.

○ ¿Tú crees? Pues a mi .... gafas me encantan.

5. Ella: ● Oye, ¿qué quiere decir .... señal?

Él: ○ Pues que en .... museo no se pueden hacer fotos.

3 ¿ESTA O ESTÁ?

A. Observa cada grupo de frases y léelas en voz alta. Imagina un contexto posible para cada una.

1. a. Esta gris.
b. Está gris.

2. a. ¿Estas? ¡Genial!
b. ¡Estás genial!

3. a. Sí, esta.
b. Sí está.

Tengo que comprarme una nueva radio, esta está rota.

B. Ahora vas a escuchar una conversación relacionada con cada par de frases del apartado **A**. Indica cuál es el fragmento que falta (**a** o **b**) en cada una de ellas.

☐ 1. ....
☐ 2. ....
☐ 3. ....

Pronombres demostrativos neutros

Los demostrativos neutros solo pueden funcionar como pronombres y son siempre invariables.

aquí	ahí	allí
esto	eso	aquello

Estos demostrativos sirven para indicar un objeto o grupo de objetos sin explicitar su género y número. Se usan cuando no es posible o no es necesario mencionar qué es algo.

- ¿Qué es **eso**?
○ Un mueble de diseño que me he comprado. ¿Te gusta?

- ¿Dónde dejo **esto**?
○ La fruta, déjala encima de la mesa y el pescado, en la nevera. [grupo de objetos]

También usamos los demostrativos neutros para indicar situaciones y partes del discurso.

El avión ha salido tarde, las maletas se han perdido y nadie sabe nada. **¡Esto** es un caos! [situación]

- ¿Sabes que Marta va a tener un hijo?
○ ¿De verdad? **¡Eso** es una gran noticia! [discurso]

Atención: estos demostrativos no se pueden usar para referirse a personas.

4 ¿CÓMO SE LLAMA ESTO?

Completa estos diálogos con los demostrativos neutros que faltan (**esto, eso, aquello**).

1. ● ¿Cómo se llama en español .... que tienes en la mano?
   ○ ¿ .... ? Se llama grifo.

2. ● Los Martínez se van a vivir a Zaragoza.
   ○ Sí, ... me han dicho.

3. ● Oye, acabo de llegar a casa y he visto una cosa muy rara en la esquina de la calle. ¿Tú sabes qué es .... que han colocado ahí?

4. ● Me han dicho que te vas mañana.
   ○ ¿Ah, sí? ¿Y quién te ha dicho .... ?

5. ● ¿Recuerdas .... que te dije en 1999?
   ○ Mmm, pues no, la verdad.

6. ● ¿Qué es .... que llevas puesto? Pareces un extraterrestre.
   ○ .... es un abrigo especial para la nieve y está muy de moda este año.

¿Qué es eso que llevas en la cabeza?

Un chullo.

7. ● Este año estoy estudiando helicicultura.
   ○ ¿Y qué es .... ?

8. ● Hoy no puedo ir a clase.
   ○ ¿Y .... por qué?

9. ● .... es muy aburrido, ¿nos vamos?
   ○ Sí, esta es la fiesta menos divertida del siglo.

Demostrativos en expresiones temporales y de modo

Los demostrativos **este/a/os/as** + **año(s), mes(es), semana(s)**... sirven para referirse a períodos temporales que no han terminado o a períodos temporales pasados y futuros muy cercanos al momento presente.

Atención: cuando nos referimos al pasado solemos usar el pretérito perfecto.

> *Esta semana estamos estudiando los demostrativos.* [presente]

> *Este invierno ha hecho mucho frío, suerte que ya estamos en primavera.* [pasado]

> *Esta tarde voy a salir antes del trabajo, tengo dentista.* [futuro]

Para referirnos a períodos temporales pasados y futuros que ya se han mencionado en el contexto, usamos **ese/a/os/as** + **año(s), mes(es), semana(s)**...

Para remarcar la lejanía de momentos pasados ya mencionados, usamos **aquel/aquella/os/as** + **año(s), mes(es), semana(s)**...

El adverbio **entonces** puede significar **en ese momento** o **en aquel momento**. Lo usamos para hablar de un momento pasado o futuro que ya se ha mencionado.

> ● *Abuelo, ¿tú también tenías videojuegos cuando eras pequeño?*
> ○ *¡Uy, no! Entonces no existían esas cosas.*

> La primera vez que leí *El Quijote* tenía 19 años, entonces me di cuenta de que quería ser escritor.

5 PASADO, PRESENTE Y FUTURO

¿Qué demostrativo se adecua más a cada frase?

1. Estamos en la segunda quincena de julio. En mi pueblo .... semanas son las más calurosas del año.

2. Me casé con José Juan en febrero de 1999 .... mismo mes, se divorció mi hermana.

3. El 5 de agosto vamos a ir a Madrid, pero .... misma semana también tenemos que ir a París.

4. .... primavera va a ser preciosa, ha llovido mucho y el campo va a estar muy verde.

5. En los años 60 la economía creció en casi toda Europa, ... años estuvieron llenos de cambios y de progreso.

6. ¡Qué frío ha hecho .... semana! Hemos tenido la calefacción encendida todo el día.

7. Cuando estudiaba Medicina, iba poco a ver a mi familia. En .... época, ellos vivían en Santander y yo estudiaba en Barcelona.

8. .... mes tenemos jornada intensiva en el trabajo: por eso, hoy salgo a las 15.00 h.

9. En 2016 mi hijo acabará sus estudios y yo, ... año, dejaré de trabajar.

Los posesivos átonos

⟫ Los posesivos identifican algo o a alguien relacionándodolo con su poseedor. Esta relación puede tener diferentes valores: la posesión propiamente dicha, la pertenencia a un grupo, el parentesco…

> *No encuentro **mis** gafas.*
> *Este es **mi** sobrino.*
> *En **mi** escuela entramos a las 8.30 h.*

⟫ Existen dos series de posesivos: los posesivos átonos y los tónicos. Los posesivos átonos son:

	sustantivo singular	sustantivo plural
	masculino/ femenino	masculino/ femenino
(yo)	mi	mis
(tú)	tu	tus
(él/ella/ usted)	su	sus
(nosotros/ nosotras)	nuestro nuestra	nuestros nuestras
(vosotros/ vosotras)	vuestro vuestra	vuestros vuestras
(ellos/ellas/ ustedes)	su	sus

● **Atención:** los posesivos **su/sus** pueden referirse a varias personas gramaticales diferentes.

> *¿Es esta **su** habitación?* [= de **él**, de **ella**, de **ellos**, de **ellas**, de **usted** o de **ustedes**.]

⟫ Los posesivos átonos acompañan a un sustantivo y se colocan siempre delante de este.

> ***Nuestra** casa es la más bonita del barrio.*

> ***Mi** hijo ha empezado a estudiar en la universidad este año.*

⟫ Los posesivos correspondientes a **nosotros** y a **vosotros** concuerdan en género y en número con el sustantivo. Los demás, solo en número.

> ***nuestro** hijo   **nuestra** hija*
> ***mi** hijo/hija*

> ***nuestros** hijos   **nuestras** hijas*
> ***mis** hijos/hijas*

> Vuestra amiga es mi vecina, ¡qué casualidad!

1 **APRENDA ESPAÑOL CON NOSOTROS**

A continuación tienes algunos anuncios de escuelas de idiomas en los que faltan los posesivos. Complétalos.

Español en línea

Aprende español sin salir de .... casa. Solamente tienes que utilizar .... ordenador y conectarte por internet a .... página web: www.españolenlinea.dif. Con Español en línea, tienes .... propio tutor, que te orienta, corrige .... ejercicios y habla contigo por videoconferencia siempre que lo necesitas.

¡Ahora puedes hacerlo! ¡Esta es ....
oportunidad para aprender español sin estrés!

ESCUELA MODERNA

Viaje a Guatemala

y aprenda español en Antigua.

Clases individuales para todos los niveles.

¡Haga realidad .... sueño! Disfrute

de .... famosa hospitalidad.

Aquí .... profesor es también su

anfitrión: usted se aloja en ....

casa y aprende español rápidamente y

sin esfuerzo.

Academia Mediterránea

Aprende español con nosotros y conoce también

.... cultura: además de clases de español, te

ofrecemos un programa variado de actividades

(flamenco, cursos de cocina, de cine, etc.).

.... escuela está situada en el centro de la

ciudad. .... profesores son todos nativos y

excelentes profesionales.

Visita .... página web:

www.academia-mediterranea.med

Los posesivos tónicos

➤➤ Los posesivos tónicos pueden aparecer acompañando al sustantivo al que se refieren (siempre detrás de este) y también solos, respondiendo a preguntas sobre propiedad. Concuerdan en género y en número con el sustantivo.

*Este es Ramón, un amigo **mío,** y esta es Marcia, una colega **suya.***

● *¿Esa chaqueta es **tuya**?*
○ *No, la **mía** es la que está al lado.*

● *¿De quién son estas maletas?*
○ *Son **mías**.*

poseedor	sustantivo singular		sustantivo plural	
	masc.	fem.	masc.	fem.
(yo)	mío	mía	míos	mías
(tú)	tuyo	tuya	tuyos	tuyas
(él/ella/usted)	suyo	suya	suyos	suyas
(nosotros/nosotras)	nuestro	nuestra	nuestros	nuestras
(vosotros/vosotras)	vuestro	vuestra	vuestros	vuestras
(ellos/ellas/ustedes)	suyo	suya	suyos	suyas

➤➤ Cuando los posesivos tónicos van detrás del sustantivo, dicho sustantivo lleva siempre un determinante (un artículo indefinido, un demostrativo, un cuantificador, etc.).

● *__Un__ amigo **nuestro** de Londres va a venir a visitarnos.*
○ *¿Es __ese__ amigo **vuestro** del que siempre habláis?*

● *Mira: __dos__ compañeros **míos** de clase de inglés.*

2 QUÉ LÍO DE MUDANZA

Pablo y Paula viven con Julián, pero se están mudando a otro piso para vivir solos. Completa la conversación con los posesivos tónicos adecuados.

1. Pablo: ¿De quién son estos libros?

2. Paula: (de Paula) ....

3. Pablo: ¿Y estas revistas de arquitectura?

4. Paula: (de Paula) .... también. Oye, ¿y este jarrón es de Julián o (de nosotros) ....

5. Pablo: (de nosotros) .... , creo.

6. Pablo: ¿La frutera es (de Paula) .... ?

7. Paula: Sí, claro que es (de Paula) .... ¿No te acuerdas? Me la regaló aquel compañero (de Paula) ....

8. Pablo: Ah sí, es verdad.

9. Julián: No os olvidéis de las sillas de la terraza, también son (de vosotros) ....

10. Pablo: ¿Seguro que son (de nosotros) ....?

11. Julián: Claro. La mesa es (de Julián) .... pero las sillas, (de vosotros) ....

12. Pablo: ¿En el garaje hay alguna cosa (de nosotros) ....?

13. Paula: Mmm, sí, hay algunas cosas (de Paula) .... y unos esquís (de Pablo) ....

Usos de los posesivos átonos y tónicos con un sustantivo

⏩ Los posesivos átonos identifican el sustantivo poseído haciendo referencia a una relación de pertenencia «única», de manera similar a como lo hace un artículo definido, en estos casos:

Cuando no existe otro objeto de la misma categoría que pertenezca a esa persona.

> ***Mi** madre va a venir a buscarme.* [solo tengo una madre]

> ***Mi** coche es nuevo.* [solamente tengo un coche]

Cuando el interlocutor ya sabe o supone a qué nos referimos porque el objeto ya ha aparecido en el contexto.

> ***Mi** amiga va a venir a buscarme.* [es la amiga de la que hemos hablado anteriormente]

⏩ Los posesivos tónicos, cuando acompañan a un sustantivo, identifican el objeto poseído como parte de un conjunto que pertenece a la misma persona, es decir, se trata de una relación de pertenencia no única.

> *He hablado con una amiga **mía** por teléfono.* [es una de mis amigas]

> *He leído un libro **suyo**.* [ha escrito varios libros]

⏩ Utilizamos los posesivos tónicos con el artículo definido y sin sustantivo (**el mío, la mía, los míos, las mías**, etc.) como un pronombre, para evitar la repetición de un sustantivo que ya es conocido.

> *Su hija es dos años mayor que **la mía**.* [que mi hija]

> *Mi coche es más grande que **el tuyo**.* [que tu coche]

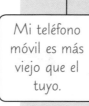

Mi teléfono móvil es más viejo que el tuyo.

3 ¿SU MARIDO O UN MARIDO SUYO?

Escoge una de las dos opciones para completar cada frase.

1. María siempre va a París con ....

☐ a. su marido   ☐ b. un marido suyo

2. Pedro es .... de trabajo, somos unos 30.

☐ a. mi compañero   ☐ b. un compañero mío

3. He oído hablar de ese director, pero no he visto

....

☐ a. su película   ☐ b. ninguna película suya

4. Escriba aquí .... por favor.

☐ a. sus apellidos   ☐ b. unos apellidos suyos

5. Acabo de encontrarme a .... por la calle. ¿A qué no sabes a cuál?

☐ a. tu amigo   ☐ b. un amigo tuyo

6. En la tele ha salido .... Elisenda. La han entrevistado en la calle.

☐ a. tu hermana   ☐ b. una hermana tuya

7. Perdone, ¿es este .... ? Está aparcado en un lugar reservado.

☐ a. su coche   ☐ b. un coche suyo

4 ¿DEL CHICO O DE LA CHICA?

🔊 32/35 Escucha la audición y completa la frase marcando la opción correcta.

1. Las gafas de buceo son	☐ del chico ☐ de la chica
2. Las gafas de sol son	☐ del chico ☐ de la chica
3. La agenda es	☐ del chico ☐ de la chica
4. El protector solar es	☐ del chico ☐ de la chica

Graduar los sustantivos (I)

▶▶ En general, los cuantificadores son adjetivos y adverbios que se usan para graduar la cantidad o la intensidad de distintos tipos de palabras: sustantivos, verbos, adjetivos y adverbios.

▶▶ Cuando los cuantificadores gradúan sustantivos contables funcionan como adjetivos y concuerdan en género y en número con estos. **Bastantes** tiene una única forma para el masculino y el femenino.

	con sustantivos masculinos	con sustantivos femeninos
+	**todos** los países	**todas** las tardes
	demasiados semáforos	**demasiadas** tonterías
	muchos pueblos	**muchas** ciudades
	bastantes mensajes	**bastantes** bicicletas
	algunos ingenieros	**algunas** ingenieras
	unos pocos euros	**unas pocas** libras
	pocos rascacielos	**pocas** casas
–	(no ...) **ningún** problema	(no ...) **ninguna** solución

▶▶ El sustantivo acompañado por **todos/as** siempre lleva algún tipo de determinante (artículos, posesivos o demostrativos): **todos los** días, **todos mis** hijos, **todas estas** casas.

▶▶ **Demasiado** se usa para expresar un exceso.

▶▶ La forma singular **algún/a** se usa sobre todo en preguntas y **ningún/a** se usan sobre todo en singular.

> ¿Conoces **algún** gimnasio por aquí? No he visto **ningún** lugar para hacer deporte.

> Esta mañana he recibido **algunas** llamadas, pero **ningún** correo electrónico.

▶▶ La forma **bastantes** puede tener dos sentidos: puede equivaler a una cantidad entre **algunos** y **muchos**, o bien puede tener el significado de **suficientes**.

> Camarero, no hay **bastantes** sillas para todos, ¿puede traer una más? [=suficientes]

> Por aquí hay **bastantes** bares, seguro que encuentras uno. [=cantidad entre algunos y muchos]

▶▶ Los cuantificadores también pueden funcionar como pronombres, es decir, pueden sustituir a un sustantivo que ya se ha mencionado o que está claro por el contexto. En este caso, **ningún** se convierte en **ninguno**.

> ● ¿Conoces **algún** hotel en Alicante?
> ○ No, **ninguno**.
> ● Pues yo te puedo recomendar **bastantes**, conozco bien la ciudad.

> ¡Camaradas! Unos pocos no creéis en que podemos cambiar el sistema, algunos pensáis que es muy difícil, porque hay muchos obstáculos, ¡pero vamos a cambiarlo! ¡Somos demasiadas personas que pensamos que algo tiene que cambiar! ¡Tenemos que luchar todos los días!

1 ¿TIENE O NO TIENE?

 Escucha las cuatro conversaciones, fíjate en las palabras destacadas y subraya las correctas.

36
39

1. En la panadería **hay/no hay** magdalenas.

2. **Se necesitan/no se necesitan** más platos.

3. Marcos **tiene/no tiene** amigos en Madrid.

4. Eugenia **conoce/no conoce** Nueva York.

Graduar los sustantivos (II)

▸▸ Con sustantivos no contables, los cuantificadores funcionan como adjetivos y concuerdan en género con ellos a excepción de **bastante**, **un poco de** y **nada de**, que tienen una única forma para el masculino y para el femenino.

	con sustantivos masculinos	con sustantivos femeninos
+	**todo** el oro	**toda** la limonada
	demasiado calor	**demasiada** luz
	mucho viento	**mucha** tranquilidad
	bastante pescado/carne	
	un poco de pan/sal o **algo de** pan/sal	
	poco tiempo	**poca** leche
-	**(no …) nada** de dinero/paciencia	

Atención: el sustantivo al que acompañan los cuantificadores **todo/a** siempre lleva algún tipo de determinante (artículos, posesivos o demostrativos):

> **toda** <u>mi</u> pasta de dientes, **todo** <u>ese</u> arroz.

▸▸ Estos cuantificadores también pueden funcionar como pronombres sustituyendo a un sustantivo ya mencionado o conocido por el contexto. En este caso **un poco de**, **algo de** y **nada de** se convierten en **un poco, algo** y **nada**.

> ● ¿De verdad no comes **nada de** carne?
> ○ Bueno, a veces como **un poco**. ¿Y tú?
> ● ¡Buf! Yo como **demasiada**.

2 ES UN ENCANTO

Fíjate en los cuantificadores de las frases 1-12. Te darán pistas sobre cuál es la continuación o la explicación más lógica en cada caso (**a** o **b**).

1. Marta compra **los** libros por internet,
2. Marta compra **demasiados** libros por internet,

☐ **a.** dice que es lo más práctico.
☐ **b.** se está gastando muchísimo dinero.

3. Papá me ha ayudado **demasiado** en este trabajo,
4. Papá me ha ayudado **mucho** en este trabajo,

☐ **a.** ha quedado muy bien.
☐ **b.** creo que mi profesor se va a dar cuenta.

5. Normalmente tomo **mucho** café,
6. Normalmente no tomo **nada de** café,

☐ **a.** pero hoy he tomado demasiado.
☐ **b.** pero hoy he tomado bastante.

7. ¿Hay **bastantes** sillas...
8. ¿Hay **muchas** sillas...

☐ **a.** o voy a buscar más?
☐ **b.** o pocas?

9. ¿Hay **bastantes** sillas?
10. ¿Hay **bastante** comida?

☐ **a.** Sí, sí, hay bastantes.
☐ **b.** Sí, sí, demasiada incluso.

11. En esta habitación hay **demasiada**...
12. En esta habitación hay **muchas**...

☐ **a.** ventanas.
☐ **b.** luz.

3 ¿NADA O NADA DE?

A. Escoge el cuantificador adecuado para acompañar al sustantivo y escríbelo.

1. algo/algo de + fiebre: ....

2. bastante/s + tomates: ....

3. demasiado/a/os/as + olas: ....

4. mucho/a/os/as + dinero: ....

5. nada/nada de + dinero: ....

6. nada/nada de + interés: ....

7. ningún/a + canción: ....

8. todo/a/os/as + mi zumo: ....

9. mucho/a/os/as + calor: ....

10. bastante/s + hoteles: ....

B. Completa ahora estas frases usando los elementos del apartado anterior.

1. Álex es un poco caradura. Se ha bebido .... y no me ha dejado .... para comprar más.

2. ● El mar está muy agitado, hay .... para bañarse.

○ Sí, es una pena, porque hace ....

3. ● ¿Hay...................................... para hacer el gazpacho o te traigo más?

○ No, gracias. Hay suficientes.

4. No recuerdo .... de Julio Iglesias. ¿Tú recuerdas alguna?

5. Mi tío Alfredo ganó la lotería. Ahora tiene .... y es el propietario de .... y restaurantes en la costa.

6. ● ¿Va a venir Rosa a la conferencia?

○ No lo creo. Me parece que no tiene .... en el tema.

7. No me encuentro bien, tengo .... , creo.

Hoy tengo pocas ganas de ir a clase.

Yo no tengo ningunas.

Graduar los verbos, los adjetivos y los adverbios

⏩ Cuando modifican a verbos, adjetivos y a adverbios, los cuantificadores funcionan como adverbios y no cambian de forma. Cuando modifican a adjetivos y a adverbios, se colocan siempre delante de estas palabras.

	con verbos	con adjetivos	con adverbios
+	duerme **demasiado**	**demasiado** tímido/a/os/as	**demasiado** deprisa
	trabaja **mucho**	**muy** rápido/a/os/as	**muy** lentamente
	viaja **bastante**	**bastante** guapo/a/os/as	**bastante** tarde
	me preocupa **un poco**	**un poco** o **algo** delgado/a/os/as	**un poco** o **algo** pronto
	come **poco**	**poco** hablador/a/es/as	**poco** lejos
−	**no** cuenta **nada**	**no ... nada** simpático/a/os/as	**no ... nada** mal

Un poco (de) / poco

➤➤ Ya sea para graduar sustantivos, verbos, adjetivos o adverbios, usamos **poco** para señalar una ausencia o una insuficiencia, mientras que usamos **un poco (de)/poco** para indicar una presencia.

> *¿Tienes **un poco de** azúcar? Es que no me gusta el café sin azúcar.* [pide azúcar]
> *¿Tienes **poco** azúcar? Tranquila, tomaré el café sin azúcar.* [no hay suficiente azúcar]
>
> *Esa pintura está **un poco** húmeda, ¿no?* [está algo húmeda]
> *Esa pintura está **poco** húmeda, ¿no?* [no está suficientemente húmeda]

4 MI NUEVA CIUDAD

A. Tomás vive en una nueva ciudad desde hace poco. Aquí tienes algunas frases que ha escrito a un amigo sobre su nueva ciudad. Usa en cada caso el cuantificador más adecuado.

1. Moverse en coche los días laborables es (1) .... práctico. El metro es mucho mejor: es (2) .... barato y rápido. Además, conducir no me gusta (3) ....

> **(1) un poco/poco**   **(2) poco/muy/demasiado**
>
> **(3) poco/un poco/mucho**

2. Encontrar un piso barato en el centro es .... difícil, pero todavía no es imposible.

> **nada**   **poco**   **bastante**

3. La gente es (1) .... simpática, es fácil hacer amigos. Aquí salgo (2) .... y me lo paso genial.

> **(1) nada/poco/muy/demasiado**
>
> **(2) poco/nada/bastante**

4. El clima es lo que menos me gusta. En invierno hace (1) .... frío y no puedes salir de casa, y la primavera pasa (2) .... rápido: en junio ya hace muchísimo calor. Lo bueno es que voy (3) .... a la playa.

> **(1) nada de/poco/un poco de/demasiado**
>
> **(2) nada/poco/bastante/muy**
>
> **(3) demasiado/mucho**

5. Si vienes, podemos ir a la Sierra, está (1) .... lejos, pero vale la pena y por la autopista no se tarda (2) ....

> **(1) un poco/poco**
>
> **(2) poco/un poco/bastante/demasiado**

B. Continúa las frases de una manera lógica. Fíjate especialmente en la información que te proporciona el cuantificador.

1. Uy, este bar está **demasiado** lleno, ...
....

2. Oye, esta sopa está **un poco** fría, ...
....

> Este cielo es un poco triste.

3. Mi profe de mates es **poco** paciente, ...

....

4. Mi casa es **bastante** grande, ...

....

5. Marcela conduce **demasiado** rápido, ...

....

6. Esta película es **un poco** lenta, ...

....

Alguien, algo, nadie, nada

Usamos **algo** y **alguien** para referirnos a cosas y a personas cuando no podemos o no queremos especificar quién o qué son. Para indicar la ausencia de cosas y personas usamos **nada** y **nadie**. Estas cuatro formas funcionan como pronombres, es decir, realizan la función de un sustantivo.

	con personas	con cosas
presencia	alguien	algo
ausencia	(no …) nadie	(no …) nada

Alguien llama. [Suena el teléfono]

*¡Qué pronto es! No hay **nadie** en clase.*

● *Voy a la calle, ¿te compro **algo**?*
○ *No, **no** quiero **nada**, gracias.*

En función de Objeto Directo, **alguien** y **nadie** van precedidas de la preposición **a**.

● *¿Ves a alguien?*
○ *No, a nadie.*

Atención: cuando cualquier forma negativa –**nada (de), nadie, ningún/a**– está situada detrás del verbo de la frase, se debe colocar **no** delante de ese verbo.

***Ninguna** dieta me <u>funciona</u>. = **No** me <u>funciona</u> **ninguna** dieta.*

***No** <u>bebo</u> **nada** de alcohol cuando tengo que conducir.*

***Nadie** <u>sabe</u> la verdad = La verdad **no** la <u>sabe</u> **nadie**.*

5 **¿ES ALGO O ALGUIEN?**

Algo, alguien, nada o **nadie**. Completa las frases con la palabra adecuada.

1. ● ¿Alguien quiere beber .... ?

○ Yo quiero .... fresco, ¿qué tienes?

2. ● ¿ .... tiene un bolígrafo?

○ Un boli no, pero creo que tengo ....
para escribir.

3. ● Este helado tiene .... extraño.

○ Mmm, sí, ... le ha echado ....
salado.

4. ● A Noelia le gusta .... de su clase, un chico nuevo.

○ Ah ¿sí? Pues no me ha dicho ....

5. ● No me voy a comprar .... aquí, es todo muy feo.

○ Espera, aquí hay .... que te va a gustar.

6. ● ¿Has traído .... para comer?

○ No, ... Luego bajo y compro
....

7. ● ¡ .... ha dormido en mi cama! Está deshecha.

○ Es imposible, aquí no ha entrado ....

8. ● ¿ .... sabe dónde está Pedro?

○ No, hoy no lo ha visto ....

Con función de sujeto

Los pronombres personales son palabras que designan a la persona que habla (**yo, nosotros**), a la que escucha (**tú, vosotros, usted, ustedes**), y a la persona, cosa o idea de la que se habla (**él, ella, ellos/as**). Los pronombres personales concuerdan en género y en número con la persona o cosa a la que se refieren y tienen distintas formas dependiendo de su función en la frase (sujeto, Objeto Directo, Objeto Indirecto…), de si aparecen después de una preposición o de si van con verbos pronominales.

● *Oye, María, ¿**tú** también vas al concierto de Juanes esta noche?* [función de sujeto]
○ *Qué va, **a mis amigas** no **les** apetece, aunque a **mí** la verdad es que me encanta.* [función de OI]

	masculino	femenino	
1.ª pers. sing.	yo		*Yo tengo un blog de música, ¿quieres participar?*
2.ª pers. sing.	tú		*¡Oye! Tú te pareces mucho a un amigo mío.*
2.ª pers. sing.	usted		*¿De qué país es **usted**?*
3.ª pers. sing.	él	ella	*Ella es periodista y él, traductor.*
1.ª pers. plur.	nosotros	nosotras	*Nosotros tenemos familia en Venezuela.*
2.ª pers. plur.	vosotros	vosotras	*¿Vosotras estáis también en este curso?*
2.ª pers. plur.	ustedes		*¿Ustedes no se quedan a cenar?*
3.ª pers. plur.	ellos	ellas	*Ellos hablan árabe.*

Atención: las formas femeninas del plural (**nosotras, vosotras** y **ellas**) solo se usan cuando se habla de un grupo de mujeres. Si en un grupo hay al menos un hombre, se usan las formas del masculino.

Los pronombres personales con función de sujeto se usan solamente con personas, no con cosas ni lugares.

> *Vivo en un barrio muy agradable. ~~Él~~ tiene muchas zonas verdes y es muy tranquilo.*

> *Te acompaño hasta tu casa en coche. ~~Ella~~ está muy lejos para ir caminando.*

Las formas **usted** y **ustedes** se utilizan en situaciones formales y de jerarquía, con desconocidos de una cierta edad o con personas mayores en general. Las dos son formas de 2.ª persona pero tanto el verbo como los pronombres van en 3.ª persona.

> *Señor Vinuesa, ¿puede **usted** venir a mi oficina?*

> *Señora Antonia, ¿necesita **usted** ayuda?*

En toda Hispanoamérica, en las Canarias y en parte del sur de España no se usa la forma **vosotros**; la forma de segunda persona del plural es únicamente **ustedes** y el grado de formalidad se expresa mediante otros recursos.

> *Y **ustedes**, chicos, ¿qué quieren comer?* [informal]

En algunas zonas de Hispanoamérica se usa la forma **vos** como pronombre de 2.ª persona singular.

> ● *Yo soy argentina, ¿y **vos**?*
> ○ *De Honduras.*

Puesto que en español, la forma del verbo ya nos dice casi siempre cuál es el sujeto de la frase, a menudo no es necesario usar los pronombres personales. Sin embargo, sí se usan cuando queremos destacar una persona en oposición a otras o para evitar confusiones, sobre todo con **él** y **usted**, y **ellos/as** y **ustedes**.

> ø *Queremos reservar una mesa, por favor.* ø *Somos cinco personas.*

> ● *¿Qué van a tomar* ø *de postre?*
> ○ *Yo quiero tarta de Santiago, y **él** no va a tomar nada.*

1 O TÚ O YO

Lee estas frases. Complétalas con el pronombre personal de sujeto adecuado si crees que debe aparecer obligatoriamente. Si crees que es optativo, escríbelo entre paréntesis ( ). Si se trata de un verbo sin sujeto, escribe – .

a. ● ¿Vienen Chelo y Martín?

○ No vienen. .... tiene que cuidar a su hermana y .... está enfermo.

b. ¡Qué horror! .... he estado toda la cena con esa mancha en la camisa y .... no me he dado cuenta.

c. .... podéis quedaros en este sitio tan aburrido, pero .... me voy.

d. Esta mañana .... ha llovido pero ahora .... hace mucho sol.

e. .... siempre dejo una llave de mi casa debajo de la alfombrilla porque .... las pierdo muy a menudo.

f. .... eres su sobrina favorita.

g. ¿ .... son los señores Gutiérrez? ¿Cómo están? .... somos Marcela y Paco, sus nuevos vecinos.

h. Esther, Carmen y Jesús van a alquilar un piso juntos. .... han encontrado uno muy bonito.

Pronombres combinados con preposición

▶▶ Preposiciones: **a, ante, con*, contra, de, en, entre**, hacia, hasta**, para, por, según**, sin, sobre…**

	masculino	femenino	
1.ª pers. sing.	mí		*¡Tranquilo!, puedes confiar en **mí**.*
2.ª pers. sing.	ti		*No sé nada de **ti** desde hace meses.*
2.ª pers. sing.	usted		*Sra. Fuentes, sin **usted** las reuniones son muy aburridas.*
3.ª pers. sing.	él	ella	*Tengo una buena noticia para **ella** y una mala para **él**.*
1.ª pers. plur.	nosotros	nosotras	*Mira, viene un taxi hacia **nosotras**.*
2.ª pers. plur.	vosotros	vosotras	*¡Un momento! Voy con **vosotros**.*
2.ª pers. plur.	ustedes		*Van a publicar un artículo sobre **ustedes** en el periódico.*
3.ª pers. plur.	ellos	ellas	*A **ellos** también les preocupa la situación.*

● *** Atención:** **con** tiene una forma especial cuando se combina con **mí** y **ti**: **conmigo, contigo.**

● **** Atención:** **entre**, **según** y **hasta** (cuando significa **incluso**) se combinan con las formas del pronombre personal de sujeto **yo** y **tú**.

> *Puedes poner el abrigo aquí, **entre tú** y **yo**. [entre ti y mí.]*

> *No es ningún secreto que te gusta Carlos, **hasta yo** lo sé.*

> *Entonces, **según tú**, ¿no se puede hacer nada para solucionar el problema?*

> ¿Quieres ir a tomar un café?

> El café me gusta sin leche, ¡y sin ti a mi lado!

2 CARADURA

A. ¿Sabes lo que significan los adjetivos de los cuadros? Lee las siguientes frases y complétalas con ellos en las líneas marcadas con color.

cabezota	sociable	caradura

1. Cuando salgo a cenar con mis amigos a veces digo que me he olvidado la cartera y siempre hay alguien que paga <u>por</u> **mí**, soy un poco

....

2. Siempre discuten <u>entre</u> **ellos** para decidir quién tiene razón. Son dos ....

3. Tengo un montón de amigos. Me encanta salir y hacer cosas <u>con</u> **ellos**. La verdad es que soy una persona bastante ....

B. Observa que en la actividad anterior se usan pronombres con preposición. Ahora completa tú las siguientes frases usando los pronombres correspondientes y un adjetivo adecuado. Puede haber varios adjetivos que sirvan.

1. ¿Mis compañeros de trabajo? No me fío de ..*ellos*.. . Sospecho que todos están contra ..*mí*.. . Soy algo ..*desconfiado*.. es verdad.

2. Cuando tengo problemas, Zoila siempre tiene un buen consejo para .... o un momento para estar con .... Si necesito algo, sé que puedo contar con .... Es la persona más .... que conozco.

3. Zacarías es muy .... No aguanta a su hermano porque siempre es el centro de atención. Cree que todo el mundo lo mira a .... , habla sobre .... y, lo que es peor, todas las chicas quieren salir con ....

4. Creo que, como amigo, soy bastante .... Soy muy alegre y mis amigos se ríen mucho con .... Y también me gusta cuando me hacen bromas a ....

5. ● Tengo que decirte una cosa. Siempre pienso en ...., incluso por las noches sueño con .... ¡Es que no puedo vivir sin .... ! Eres la luz de mi vida...

○ ¡Oh! ¡Qué .... eres!

6. Me gusta mucho Zoraida, pero cuando viene hacia .... y empieza a hablar con .... ¡no sé qué decirle! Soy demasiado ....

7. ● Todos compramos comida y la dejamos en el armario común, pero Zulema dice que sus cosas son solo para .... y que no va a compartirlas con ....

○ ¡Qué .... !

8. ● Siempre que voy a un lugar nuevo todos se fijan en .... y quieren hablar con .... ¡Es que soy súper especial!

○ ¡Dios mío! ¡Eres un .... !

C. Ahora haz una lista de las estructuras verbo + preposición (por ejemplo, **fiarse de**) que encuentres en las frases del apartado **A** y del apartado **B**. Escribe 6 frases en tu cuaderno usando estas estructuras y hablando de ti mismo.

ESTRATEGIA

Conocer el significado de un verbo o saber si es regular o irregular no es suficiente para usarlo correctamente. Saber con qué preposición o preposiciones se puede usar es también fundamental.

Con función de Objeto Directo

▶▶ El Objeto Directo (OD) es un elemento que completa el significado de algunos verbos y que expresa qué o quién recibe directamente la acción.

▶▶ Los pronombres personales de OD se usan cuando (1) ya está claro para los hablantes, (2) ya ha aparecido en el contexto y no es necesario repetirlo, (3) aparece en la misma frase pero antes del verbo.

> *(2)*
> ● *¿Y <u>las bebidas</u>?*
> ○ *Tranquilo, **las** trae Andoni.*

> *(3)*
> *Esta vez, <u>la cena</u> **la** pago yo.*

▶▶ Formas:

	masc.	fem.	
1.ª persona singular	me		*¡**Me** han contratado!*
2.ª persona singular	te		*No **te** veo, ¿dónde estás?*
3.ª persona singular	lo (le*)	la	*Sra. Pulido, **la** esperan en el banco.*
	lo (le*)	la	*Otra vez está esa chica ahí. ¿**La** conoces?* *¡Mi pasaporte! No **lo** encuentro.*
1.ª persona plural	nos		*No encontramos taxi... ¿**nos** lleváis a casa en coche?*
2.ª persona plural	os		*Hoy es mi cumpleaños, **os** invito a mi casa.*
	los	las	*Señores Páez, **los** acompañamos al aeropuerto.*
3.ª persona plural	los	las	*Los tomates **los** compro siempre en una tienda ecológica.* *¿Mis vacaciones? **Las** tengo en agosto.*

⚡ **Atención:** Con las formas de tercera persona nos podemos referir a personas pero también a cosas.

⚡ **Atención:** en España es frecuente (y no se considera incorrecto) usar **le** en lugar de **lo** para referirse a una persona masculina (hombres, niños...).

> ● *¿Han contratado a <u>Rosendo</u>?*
> ○ *No, no **le** han contratado. = No, no **lo** han contratado.*

▶▶ Los sustantivos con función de OD que se refieren a personas llevan normalmente la preposición **a**.

> ● *¿Ves **a** <u>Laura</u>? Hay demasiada gente aquí.*
> ○ *No **la** veo.*

> ● *¿Has encontrado ø <u>tu cartera</u>?*
> ○ *No, no **la** he encontrado.*

▶▶ Estos pronombres se colocan delante del verbo. Solo van después, formando una sola palabra, cuando se combinan con el imperativo afirmativo, el infinitivo o el gerundio.

> *¿Dónde está <u>tu hermana</u>? No puedo ver**la**.*

▶▶ Existe también una forma neutra, **lo**, que usamos para referirnos a una parte del discurso que ha sido mencionada anteriormente o que está clara para los hablantes. También la usamos para sustituir a los pronombres neutros **esto, eso, aquello, algo**.

> ● <u>*No entiendo ni una palabra de polaco.*</u>
> ○ ***Lo** sé, por eso te he comprado un diccionario.*

> Te quiero....
> pero solo como
> amigo.

3 CADA COSA EN UN SITIO

Esta mañana Marcelo ha hecho un montón de compras y gestiones, cada una en un sitio diferente. Construye frases explicando dónde ha hecho cada una de ellas.

- Comprar leche
- bistecs de ternera
- 1 bombilla
- vino
- aspirinas
- comida para el gato
- flores

- lentes de contacto
- Consultar el correo electrónico
- Llevar una chaqueta a lavar
- Sacar 100 euros
- Poner una denuncia

Cibercafé	Ferretería	Bodega
Carnicería	Supermercado	Óptica
Tintorería	Farmacia	Floristería
Cajero automático	Tienda de animales	Comisaría de policía

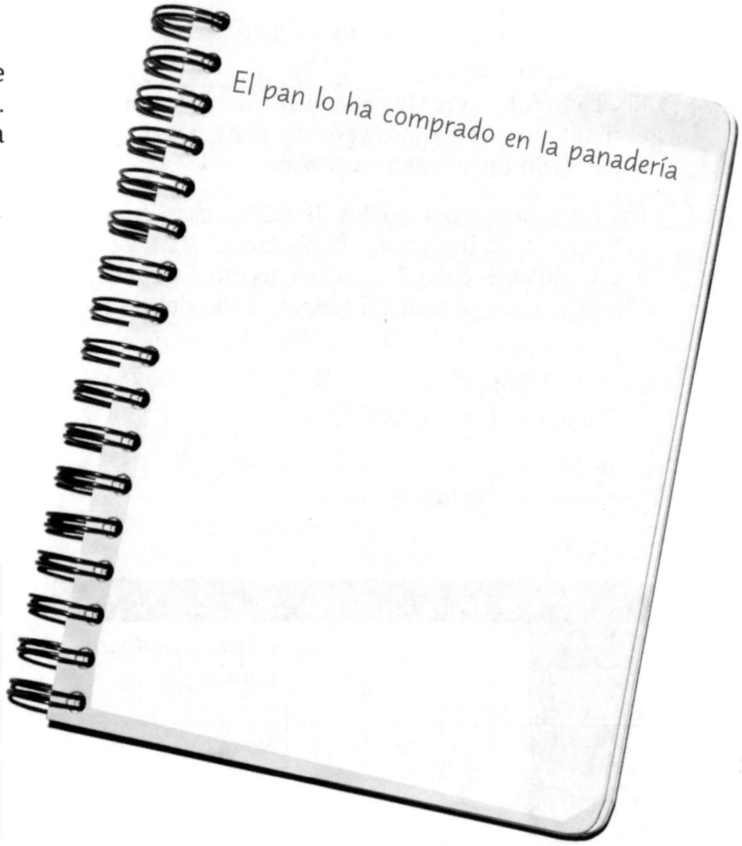

El pan lo ha comprado en la panadería

4 ¿DE QUÉ HABLAN?

🔊
40
44
Escucha las siguientes cinco conversaciones, ¿de qué están hablando en cada caso? Fíjate en los pronombres personales de OD utilizados porque te darán informaciones sobre el género y el número de los Objetos Directos.

1.
☐ a. Unas galletas
☐ b. Una tarta
☐ c. Unos caramelos

2.
☐ a. Un ordenador
☐ b. Una tele
☐ c. Unos auriculares

3.
☐ a. Un gato
☐ b. Unos peces
☐ c. Una tortuga

4.
☐ a. Unas flores
☐ b. Una planta
☐ c. Un bonsái

5.
☐ a. Un correo electrónico
☐ b. Una carta
☐ c. Unas postales

Con función de Objeto Indirecto

❱❱ El Objeto Indirecto es un elemento que completa el significado de algunos verbos y que expresa quién o qué recibe indirectamente la acción expresada por el verbo.

❱❱ Los pronombres personales de OI se usan cuando (1) este ya ha aparecido en el contexto y no es necesario repetirlo, o (2) aparece en la misma frase pero antes del verbo. También es común y correcto usar estos pronombres en casos en los que el Objeto Indirecto aparece después del verbo (3).

> *(1)*
> ● *¿Qué sabes de Paqui?*
> ○ *Está feliz, finalmente **le** han dado la beca.*

> *(2)*
> *A Mireia **le** han robado la bici esta mañana.*

> *(3)*
> ***Le** han dado la beca a Paqui, está muy contenta.*

❱❱ Formas:

	masc./ fem.	
1.ª persona singular	me	*¿**Me** das un beso?*
2.ª persona singular	te/le	***Te** presto mi cámara de fotos.* ***Le** digo toda la verdad, señor juez.*
3.ª persona singular	le (se*)	*A Jordi **le** encanta el cine clásico.*
1.ª persona plural	nos	*Sonia siempre **nos** compra algo en sus viajes.*
2.ª persona plural	os/les (se*)	*¿**Os** cuento un secreto?* *¿**Les** traigo la cuenta, señores?*
3.ª persona plural	les (se*)	***Les** hemos preparado una fiesta sorpresa a Ana y a Berta.*

❓ **Atención:** Con las formas de 3.ª persona nos podemos referir tanto a personas como a cosas.

❱❱ Con verbos conjugados, estos pronombres de OI (igual que en el caso de los de OD) van delante del verbo. Con el imperativo afirmativo, el infinitivo y el gerundio van detrás, formando una sola palabra.

> *No sé si prestar**le** la cámara. No me fío de él.*

❱❱ Cuando los pronombres de OD y de OI aparecen juntos, se ordenan de la siguiente manera: OI + OD + verbo.

Los pronombres de OI **le** y **les** se convierten en **se** cuando van delante de los pronombres de OD **lo**, **la**, **los**, **las**.

> ● *¿Ha leído usted la última novela de Vila-Matas?* ***Me la** ha regalado un amigo.*
> ○ *Sí, es muy buena. **Se la** recomiendo. (~~Le la recomiendo.~~)*

❱❱ Hay un grupo de verbos que expresan gustos, intereses y sensaciones respecto de cosas, personas y actividades (**alegrar, doler, apetecer, encantar,** etc.) que llevan casi siempre OI, pero nunca OD. Estos verbos se conjugan normalmente en 3.ª persona del singular (si la cosa, persona o actividad que hacen de sujeto es un sustantivo singular o un infinitivo) o del plural (si la cosa, persona o actividad que hacen de sujeto es un sustantivo plural).

> ***Nos** aburre la televisión, pero **nos** encanta navegar por internet.*

> ***Me** duelen las piernas.*

> *¿**Les** apetece bailar?*

¿Te apetece un café?

Lo siento, pero no me gusta el café.

5 SE LO REGALAMOS A...

A. Es Navidad y Lucía y Paco han recibido muchos regalos de su familia y sus amigos. En las imágenes se ve qué les han regalado y quién se lo ha regalado. Obsérvalo y completa las frases.

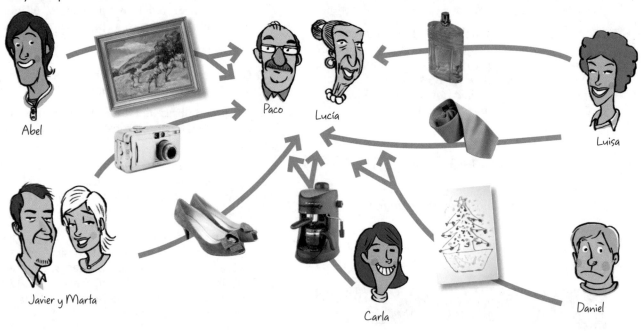

1. Abel les ha regalado un cuadro a Paco y Lucía.
2. Javier y Marta
3. Javier y Marta
4. Carla
5. Daniel
6. Luisa
7. Luisa

B. Paco es muy despistado. Está comentando con Lucía los regalos que han recibido los dos, pero no recuerda quién les ha regalado cada cosa. Completa su conversación.

- Qué bien huele ese perfume que llevas, Lucía, ¿es nuevo?
- ○ Sí, me lo ha regalado Luisa estas Navidades, ¿no te acuerdas?

- Sí, sí, claro que me acuerdo. Mmm, también está muy bien el cuadro que .... ha regalado a mí.

- ○ ¿El cuadro? El cuadro no .... ha regalado Luisa; .... ha regalado Abel a los dos.

- Je je, sí, es verdad, ¡qué cabeza tengo! ¿Qué .... ha regalado Luisa, que no me acuerdo?

- ○ Una corbata preciosa, y además .... ha comprado en Italia, en su último viaje.

- Ah sí, sí. Muy bonita. Lo que no entiendo es por qué Javier y Marta .... han comprado esos zapatos tan pequeños, parecen de mujer...

- ○ Dios mío, Paco, los zapatos .... han regalado a mí. A ti .... han traído una cámara de fotos.

- Uy sí, es verdad. Je je... Oye, esa cafetera tan aparatosa, ¿quién .... ha regalado?

- ○ Carla, ... ha regalado nuestra nieta Carla. Y no la critiques, por favor. Seguro que es carísima.

Con verbos pronominales

▸▸ Los verbos pronominales son verbos que se conjugan con un pronombre. Algunos de esos verbos tienen un significado reflexivo, es decir, el sujeto y el OD, o el sujeto y el OI son la misma persona (**lavarse, mirarse, comprarse** algo…). Otros no tienen significado reflexivo (**quejarse, caerse**). Con todos estos verbos usamos las formas de los pronombres personales reflexivos.

▸▸ Formas:

	masc./ fem.	
1.ª persona singular	**me**	*¡Soy un desastre! Nunca me acuerdo de la fecha de los exámenes.*
2.ª persona singular	**te**	*¿Te quedas aquí?*
2.ª persona singular	**se**	*¿Cómo se llama usted?*
3.ª persona singular	**se**	*Fabián se ha caído y se ha torcido un tobillo.*
1.ª persona plural	**nos**	*Nos alegramos mucho de volver a verte.*
2.ª persona plural	**os**	*¿Os habéis despertado muy tarde esta mañana?*
2.ª persona plural	**se**	*Perdonen señores, se han sentado en nuestras butacas.*
3.ª persona plural	**se**	*Los vecinos se quejan por el ruido.*

❓ **Atención:** **se** es la forma para los pronombres personales reflexivos de 3.ª persona singular y plural.

❓ **Atención:** Con las formas de 3.ª persona nos podemos referir tanto a personas como a cosas.

6 SEGURO QUE SE HA ESCONDIDO

Relaciona las frases de arriba (números) con las frases de abajo (letras).

1. El móvil de José Luis no funciona muy bien.

2. José Luis le ha roto el mp3 a Sara.

☐ **a.** Por eso le va a comprar uno nuevo.
☐ **b.** Por eso se va a comprar uno nuevo.

3. Los miércoles al mediodía estoy solo en casa.

4. Los jueves al mediodía llego a casa antes que Olga.

☐ **c.** Por eso me preparo yo la comida.
☐ **d.** Por eso le preparo yo la comida.

5. ● Oye, ¿dónde está Pepe? No lo veo por ninguna parte.

6. ● Oye, ¿tú sabes si Pepe tiene mi mochila?

☐ **e.** ○ Seguro que la ha escondido para hacerte una broma.
☐ **f.** ○ Seguro que se ha escondido para hacerte una broma.

7. ● Oye, tú eres un poco presumido, ¿no?

8. ● Oye, esa chica te conoce de algo, ¿no?

☐ **g.** ○ ¿Lo dices porque me mira todo el rato?
☐ **h.** ○ ¿Lo dices porque me miro todo el rato?

¿Y mi lentilla? Se ha caído y no la encuentro.

🌐 **MUNDO PLURILINGÜE**

Intenta traducir a tu lengua las frases **a**, **b**, **c**, **d** y **g** del ejercicio anterior. ¿Usas pronombres personales siempre? ¿En qué casos? ¿Están en el mismo lugar respecto del verbo?

¡Hola!

您好!

مرحبا

Las preposiciones (I)

▸▸ Las preposiciones son palabras que sirven para relacionar dos elementos en el espacio, en el tiempo o en un ámbito conceptual.

▸▸ Una misma preposición puede tener diferentes usos o significados.

> Esta mesa es **de** madera. [material]
> Esta mesa es **de** Miguel. [pertenencia]

▸▸ Uso de las preposiciones para hablar del espacio.

a	punto de destino o dirección del movimiento	Esta tarde voy **al*** pueblo de mi madre.
de	procedencia	¿A qué hora volvéis **del**** teatro?
en	ubicación	Está **en** casa de su novio.
	medio de transporte	Van a ir **en** avión.
entre	ubicación en medio de dos puntos	La farmacia está **entre** la biblioteca y el cine.
desde	punto de partida	Vamos **desde** Madrid hasta Sevilla en tren.
hasta	punto de destino	Podemos ir **hasta** el río andando.
hacia	dirección	Vamos a ir **hacia** Valencia, pero seguramente no llegaremos a la ciudad.
por	lugar de tránsito o movimiento dentro de un lugar	Voy a pasar **por** tu casa antes de ir a la escuela.
	localización aproximada	Creo que esa tienda está **por** el centro.

* a + el = **al**

de + el = **del

1 GEOGRAFÍA HISPANA

A. Completa estas frases con el nombre adecuado, fijándote en las preposiciones y escribiendo **al** o **del** si es necesario.

Colombia	América	barco

Estados Unidos y Guatemala

las islas Canarias	el Lago Argentino

la Polinesia	avión

el Golfo de México	el Atlántico Norte

1. Bogotá y Cali están **en** ....

2. Colón llegó **a** .... en 1492.

3. Cuba es una isla; solo se puede llegar a ella **en** .... o **en** ....

4. El pueblo rapanui llegó a la Isla de Pascua **desde** .... en el siglo IV d. C.

5. En su viaje a América, Colón pasó **por** ....

6. La Corriente del Golfo desplaza una gran masa de agua caliente **de** .... **hacia** ....

7. México está **entre** ....

8. En 1877 Francisco Moreno llegó **hasta** .... y descubrió el glaciar que actualmente lleva su nombre: Perito Moreno.

B. Escribe ahora ocho frases con las mismas preposiciones hablando de tu país o de otros lugares que conoces.

Las preposiciones (II)

▶▶ Uso de las preposiciones para hablar del tiempo.

a	+ hora (de la mañana/ tarde/ noche)	El examen empieza *a las cuatro menos cuarto.*
		El tren llegará *a las nueve de la mañana.*
de	+ día/noche	En el desierto, *de* día hace mucho calor y *de* noche, mucho frío.
desde	inicio	Está estudiando *desde las seis de la tarde.*
en	+ meses, estaciones del año, año + periodo de tiempo: duración o plazo temporal	El niño nacerá *en* primavera.
		Su cumpleaños es *en* mayo.
		En dos horas lo termino.
entre	tiempo en medio de dos momentos	Pasa por mi despacho *entre* las dos y las tres.
hasta	final de una situación o proceso	*¿Hasta* cuándo vas a quedarte aquí?
por	+ la mañana/ tarde/noche	Llegamos a Barcelona mañana *por* la tarde.

▶▶ Otros usos de las preposiciones.

a	introduce el Objeto Directo de persona	Acabo de ver *a* Pedro.
	introduce el Objeto Indirecto	*A* María voy a regalarle un libro.
	modo	¿Estos tapices están hechos *a* mano?
con	compañía o acompañamiento	Fui *con* Paz a comer pollo *con* patatas.
	instrumento	Tienen que completar el examen *con* lápiz.
	ingredientes	Las tortillas se preparan *con* harina de maíz.
de	material	La tela vaquera es *de* algodón.
	pertenencia	*¿De* quién es esta chaqueta?
	lugar de origen	Estas uvas son *de* Italia.
para	objetivo	Estudia mucho *para* sacar buenas notas.
	destinatario	Esta carta es *para* usted.
por	causa o motivo	Carla ha perdido su trabajo *por* la crisis.
	sustitución	¿Puedes firmar *por* mí? [en mi lugar]
sin	ausencia	Mis padres comen *sin* sal. Se fue *sin* decir nada.

2 ¿QUÉ ES QUÉ?

Completa estas explicaciones sobre algunas palabras con la preposición correspondiente.

1. "Andar" es ir .... pie a algún sitio.

2. "Quitar" algo a alguien es dejarlo .... esa cosa.

3. "Regalar" es darle algo .... alguien.

4. "Acompañar" es ir .... alguien a algún sitio.

5. "Madrugar" es levantarse pronto .... la mañana.

6. "Florecer" es lo que hacen las flores .... primavera.

7. Alguien "puntual" es el que llega .... la hora acordada.

8. "Sustituir" es cambiar una cosa .... otra.

9. "Freír" es cocinar algo .... aceite caliente.

10. La "lona" es un tejido muy fuerte .... algodón.

3 DESDE IQUIQUE

Marta está pasando sus vacaciones en Chile y le escribe un correo a una amiga. Completa el texto con las palabras que tienes en el cuadro. Algunas de ellas tienes que usarlas más de una vez.

sin (1)	por (4)	de (1)	para (2)
hasta (1)	en (4)	con(1)	desde (1)
	a (3)	al (1)	

Para: miry93@mail.dif

Asunto: desde Iquique

Te escribo .... Iquique, llegamos hace una semana y nos alojamos .... un hostal muy sencillo, pero cómodo. Este es un sitio ideal .... volar en parapente y estamos haciendo un curso. .... las mañanas nos levantamos temprano para volar y .... las tardes vamos .... la playa. Me encanta volar y no es tan difícil como yo pensaba. Mañana vamos a ir .... desierto de Atacama .... unos amigos chilenos. Pensamos ir .... San Pedro de Atacama .... coche y dar un paseo .... la ciudad y pasar la noche allí. Al día siguiente, vamos a hacer una ruta .... bicicleta .... ver los géiseres del Tatio, dicen que es un espectáculo impresionante, pero es necesario estar allí muy pronto. He tenido que comprarme un jersey .... lana porque, aunque aquí es verano, ... el desierto .... la mañana las temperaturas son muy bajas y no puedes ir .... ropa de abrigo. Bueno, te llamo en cuanto vuelva .... Madrid y quedamos. ¡Un beso!

Locuciones preposicionales y adverbiales

Existen expresiones formadas por una preposición o más y un adverbio o un nombre. Algunas de ellas tienen el valor de una preposición y otras funcionan como un adverbio. Estas expresiones se denominan locuciones preposicionales o locuciones adverbiales.

debajo
(**de** + sustantivo) · **encima** (**de** + sustantivo)

detrás (**de** + sustantivo) · **delante** (**de** + sustantivo)

a la derecha
(**de** + sustantivo) · **a la izquierda**
(**de** + sustantivo)

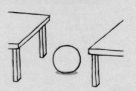

al lado
(**de** + sustantivo) · **entre**
(**de** + sustantivos)

Para hablar de distancia: **lejos** (**de** + sustantivo), **cerca** (**de** + sustantivo).

*Guadalajara está bastante **cerca de** Madrid, a unos 60 kilómetros. Toledo está más **lejos**.*

4 DESAPARICIÓN EN EL ESTUDIO DEL ARTISTA

Ayer se produjo la desaparición de un conocido artista que hace dibujos y cómics. En este momento el inspector Puértolas está tomando nota de las pistas que encuentra en su estudio. Observa la imagen y completa el texto con las preposiciones o locuciones preposicionales o adverbiales adecuadas.

El estudio está muy desordenado. Lo primero que observo es que hay una nota clavada .... de una silla. .... de la otra silla alguien ha dejado una chaqueta y una corbata. Hay papeles por todos los sitios: .... de la papelera, ... de todos los escritorios, ... , ... del cenicero del fondo...

.... el escritorio del fondo hay pinturas y pinceles tirados .... el suelo. También hay varios ceniceros: uno .... el escritorio de la izquierda y otro .... el escritorio del fondo. Hay un teléfono móvil .... el escritorio de la izquierda y una lámpara encendida .... el escritorio de la derecha.

.... del ordenador de la izquierda hay unas gafas, seguramente son las del artista.

.... el ordenador del fondo hay una taza de té; y .... de ese mismo ordenador, un bote con pinturas y pinceles...

5 ¿DÓNDE PONGO ESTO?

Marco se ha cambiado de piso y un amigo está ayudándole a colocar los muebles en su lugar. Escucha el audio y escribe el número de cada objeto en el lugar correspondiente del dibujo.

45/50

1. una alfombra
2. un sillón
3. un sofá
4. un televisor
5. una cama
6. una maceta

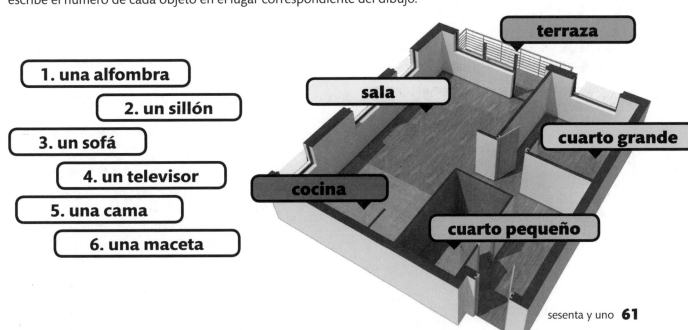

terraza

sala

cuarto grande

cocina

cuarto pequeño

Adverbios y locuciones adverbiales

➤➤ Los adverbios son un grupo de palabras y de expresiones invariables en género y en número que modifican el significado de verbos, de adjetivos, de otros adverbios o de frases enteras. Cuando están formados por varias palabras, se llaman locuciones adverbiales.

> *Adela escribe **correctamente** en inglés y en francés.* [modifica un verbo]
> *Nicolás está **muy** moreno.* [modifica un adjetivo]
> *Francisco vive **bastante** lejos de aquí.* [modifica un adverbio]
> ***Probablemente** estaba cansado de esperar y se ha ido a su casa.* [modifica una frase]

➤➤ Generalmente, los adverbios sirven para añadir información sobre las siguientes preguntas:

▶ Dónde: **cerca (de), lejos (de), dentro (de), fuera (de), abajo, arriba, debajo (de), encima (de), enfrente (de), detrás (de), aquí, ahí, allí...**

> *Mi casa está **cerca** del centro, **enfrente de** la estación de autobuses.*

▶ Cuándo o con qué frecuencia: **ayer, hoy, mañana, ahora, entonces, pronto, temprano, tarde, mientras, anteriormente, últimamente, antes (de), después (de), siempre, nunca, jamás, a veces, de vez en cuando, normalmente, a menudo, aún, todavía, ya...**

> *A veces me levanto **temprano** para hacer ejercicio, pero **hoy** no tengo ganas.*

▶ Cómo o de qué modo: **así, bien, mal, duro (trabajar), alto (hablar), despacio, deprisa, rápido, lento, barato/caro (comprar)** y adverbios terminados en **-mente: claramente, rápidamente, fácilmente, difícilmente, completamente...**

> *¿Sabes cuál es el secreto de los magos? Pues que hablan muy **rápido** y mueven las manos muy **deprisa**. Así te distraen **completamente** y no puedes ver el truco.*

▶ Cuánto o en qué medida: **todo, demasiado, mucho, muy, bastante, poco, nada; más, menos, tan, tanto.**

> *La comida está **demasiado** salada, ¿por qué no cocinas con **menos** sal?*

En qué orden: **primero, en primer lugar, segundo, en segundo lugar, luego, después, finalmente...**

> ***Primero** se corta la verdura, **luego** se lava y, **finalmente**, se fríe en la sartén.*

▶ Sí o no: **sí, por supuesto, vale, claro, faltaría más, no faltaba más...** y **no, qué va, para nada, en absoluto, también, tampoco...**

> ● *¿Tienes un billete de 10 euros para dejarme?*
> ***Sí/claro**, no hay problema.*
> ***No/qué va** es que me he olvidado la cartera.*

▶ Con qué grado de conocimiento: **tal vez, quizás, acaso, a lo mejor, probablemente, seguramente, indudablemente, aparentemente, visiblemente, obviamente, ciertamente, evidentemente...**

> ● *Juan no ha llegado todavía. ¡Qué raro!*
> ○ ***A lo mejor** ha tenido algún problema. O **quizás** es que no se acuerda de la cita.*

▶ Con qué punto de vista: **personalmente, profesionalmente, científicamente, formalmente...**

Los adverbios acabados en -mente

➤➤ Los adverbios acabados en **-mente** se forman con un adjetivo en su forma femenina + la terminación **-mente**. Son un tipo frecuente de adverbios de modo, pero también de grado de conocimiento, de punto de vista, etc. Cuando son de modo, su significado equivale a las construcciones **de manera** + adjetivo y **con** + sustantivo.

> *Elías ha trabajado **eficazmente**.* [= de manera eficaz/con eficacia]

➤➤ Algunos adverbios en **-mente** tienen un significado diferente al del adjetivo relacionado.

> ***seguramente** = de manera probable, ≠ de manera segura;*
> ***últimamente** = recientemente, ≠ de manera última*

➤➤ Si dos adverbios terminados en **-mente** van seguidos, el primero de ellos se usa sin la terminación.

➤➤ Los adverbios **solo, rápido, lento, claro** y **duro** tienen un significado igual o similar a las formas **solamente, rápidamente, lentamente, claramente** y **duramente**, pero son más comunes en la lengua oral.

1 ALEGRÍA, ALEGRÍA

Clasifica cada palabra según su categoría.

1. alegrarse, alegre, alegría, alegremente

sustantivo	verbo	adjetivo	adverbio

2. suave, suavemente, suavidad, suavizar

sustantivo	verbo	adjetivo	adverbio

3. cuidar, cuidadosamente, cuidadoso/a, cuidado

sustantivo	verbo	adjetivo	adverbio

4. felicidad, felicitar, felizmente, feliz

sustantivo	verbo	adjetivo	adverbio

5. dolor, doler, dolorosamente, doloroso/a

sustantivo	verbo	adjetivo	adverbio

6. corregir, correctamente, corrección, correcto/a

sustantivo	verbo	adjetivo	adverbio

7. amable, amar, amablemente, amor

sustantivo	verbo	adjetivo	adverbio

8. fácilmente, facilitar, facilidad, fácil

sustantivo	verbo	adjetivo	adverbio

9. atentamente, atender, atento/a, atención

sustantivo	verbo	adjetivo	adverbio

Francamente, estoy terriblemente decepcionada, Juan, porque no has hecho los deberes.

Es que ayer estuve bastante ocupado: primero fui a clases de kárate y después a clases de inglés.

ESTRATEGIA

Para ampliar tu vocabulario puede serte útil aprender juntas varias palabras de la misma familia con categorías gramaticales distintas.

🌐 MUNDO PLURILINGÜE

Traduce las siguientes frases a tu lengua o a otra que conoces y observa cómo expresas la información trasmitida aquí por los adverbios.

Francamente, me parece un poco extraño; pero **seguramente** tienes razón...

Ese restaurante no es **especialmente** caro.

¿Puedes hablar **más despacio** y un poco **más alto**, por favor?

您好!

¡Hola!

مرحبا

2 CON CIERTA IRONÍA

Completa las siguientes frases con adverbios acabados en **-mente**.

1. Hacer un cálculo **aproximado** es calcular ....

2. Tener una pronunciación **clara** es pronunciar ....

3. Comportarse de manera **adecuada** significa actuar ....

4. Cuando alguien te besa .... te da un beso **apasionado**.

5. A una fiesta **elegante** hay que ir vestido ....

6. Decir algo con **ironía** es hablar ....

7. Una persona **sincera** y **directa** es aquella que habla .... y también ....

8. Expresar tus pensamientos de manera **espontánea** es hablar ....

3 EN LA CARRETERA

Completa los textos con los adverbios adecuados a partir de los adjetivos de la siguiente lista. En algunos casos, es necesario usar la forma terminada en **-mente**.

| total | prudente | doble | barato | inteligente | urgente | tranquilo | directo | atento |

DIRECCIÓN GENERAL DE TRÁFICO

En la carretera la velocidad es peligrosa. Por tu propia seguridad y por la seguridad de los demás, conduce ....

PEAC Cursos a distancia

Cursos de idiomas a distancia. En cualquier momento y lugar, aprende .... y a tu ritmo.

www.todo-apartamentos.his

Apartamentos junto a la playa .... equipados: cocina completa, habitaciones amuebladas, aire acondicionado, televisión, conexión a internet. 500 euros/mes. Consulta en www.todo-apartamentos.his

Crema Dermalisa

Para una piel suave y joven. Nueva fórmula 2 en 1: .... eficaz porque hidrata tu piel y elimina las arrugas.

RESFRIADOL
Alivia los síntomas del resfriado

Leer .... las indicaciones de este medicamento. En caso de dolor de estómago o vómitos, ir .... al hospital más cercano.

MICROELEMENTS

¿Las tiendas de informática son muy caras? Nosotros somos fabricantes. Ven y compra aquí tu ordenador ....

AHORROPLUS Supermercados

Piensa en tu economía, compra ....
Descubre nuestros precios, compra más ....

Formación del presente de indicativo

» La conjugación en presente de indicativo de las tres conjugaciones de los verbos regulares es la siguiente.

	escuchar	leer	escribir
Yo	escucho	leo	escribo
Tú	escuchas*	lees*	escribes*
Él/ella/ usted	escucha	lee	escribe
Nosotros/ nosotras	escuchamos	leemos	escribimos
Vosotros/ vosotras	escucháis	leéis	escribís
Ellos/ellas/ ustedes	escuchan	leen	escriben

*Con el uso de **vos**, la 2.ª persona del singular sigue el modelo de escuch**ás**, le**és**, escrib**ís**.

» Existen diferentes tipos de irregularidades en presente. Una de las más comunes es el cambio de vocales. Este cambio afecta siempre a la última vocal de la raíz del verbo: la **e** de **pens-ar**, la **o** de **record-ar** o la **e** de **ped-ir**.

la vocal **e** se transforma en **ie** (verbos en -ar, -er e -ir)	la vocal **o** se transforma en **ue** (verbos en -ar, -er e -ir)	la vocal **e** se transforma en **i** (solo verbos en -ir)
pensar	recordar	pedir
p**ie**nso p**ie**nsas p**ie**nsa pensamos** pensáis** p**ie**nsan	rec**ue**rdo rec**ue**rdas rec**ue**rda recordamos** recordáis** rec**ue**rdan	p**i**do p**i**des p**i**de pedimos** pedís** p**i**de
otros verbos	otros verbos	otros verbos
com**e**nzar, emp**e**zar, p**e**rder, pref**e**rir, qu**e**rer, s**e**ntar, s**e**ntir, etc.	c**o**star, d**o**rmir, enc**o**ntrar, m**o**rir, p**o**der, v**o**lar, v**o**lver, etc.	comp**e**tir, r**e**ír, r**e**petir, s**e**guir, etc.

**La 1.ª y la 2.ª persona del plural no presentan estas irregularidades.

Atención: la **u** del verbo **jugar** se transforma también en **ue**: j**ue**go, j**ue**gas, j**ue**ga, j**ue**gan.

» Existen otras irregularidades, que afectan a las consonantes de la raíz.

aparece una **g** antes de la terminación **-o** de la primera persona del singular (**yo**).	en los verbos que terminan en **-acer, -ecer, -ocer** y **-ucir**, la **c** de la raíz se transforma en **zc** en la primera persona del singular (**yo**).	la primera persona del singular (**yo**) es irregular.
poner → pon**g**o salir → sal**g**o valer → val**g**o traer → trai**g**o caer → cai**g**o	nacer → na**zc**o conocer → cono**zc**o parecer → pare**zc**o	dar → **doy** caber → **quepo** ver → **veo**

Atención: algunos verbos presentan, además de la irregularidad **-g-** en la primera persona, alteraciones vocálicas en las otras personas.

e → ie

tener: *tengo, tienes, tiene...*

e → i

decir: *digo, dices, dice...*
venir: *vengo, vienes, viene...*

» Existen algunos verbos con irregularidades propias.

haber	estar	ir	ser	hacer	saber
he	estoy	voy	soy	hago	sé
has	estás	vas	eres	haces	sabes
ha	está	va	es	hace	sabe
hemos	estamos	vamos	somos	hacemos	sabemos
habéis	estáis	vais	sois	hacéis	sabéis
han	están	van	son	hacen	saben

1 ¡HOLA, MARTA!

A. Lee el correo electrónico que Sabine le ha escrito a una amiga y marca los verbos en presente que aparecen en él.

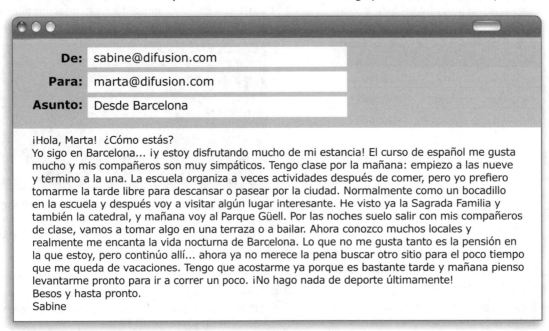

De: sabine@difusion.com

Para: marta@difusion.com

Asunto: Desde Barcelona

¡Hola, Marta! ¿Cómo estás?
Yo sigo en Barcelona... ¡y estoy disfrutando mucho de mi estancia! El curso de español me gusta mucho y mis compañeros son muy simpáticos. Tengo clase por la mañana: empiezo a las nueve y termino a la una. La escuela organiza a veces actividades después de comer, pero yo prefiero tomarme la tarde libre para descansar o pasear por la ciudad. Normalmente como un bocadillo en la escuela y después voy a visitar algún lugar interesante. He visto ya la Sagrada Familia y también la catedral, y mañana voy al Parque Güell. Por las noches suelo salir con mis compañeros de clase, vamos a tomar algo en una terraza o a bailar. Ahora conozco muchos locales y realmente me encanta la vida nocturna de Barcelona. Lo que no me gusta tanto es la pensión en la que estoy, pero continúo allí... ahora ya no merece la pena buscar otro sitio para el poco tiempo que me queda de vacaciones. Tengo que acostarme ya porque es bastante tarde y mañana pienso levantarme pronto para ir a correr un poco. ¡No hago nada de deporte últimamente!
Besos y hasta pronto.
Sabine

B. Ahora clasifica los verbos que has marcado en el siguiente cuadro. Escribe, al lado, su forma en infinitivo.

Verbos regulares	e → ie	o → ue u → ue	e → i	+g (1.ª persona)	+ zc (1.ª persona)	Verbos con irregularidades propias
						estás (estar)

C. Reescribe el correo de Sabine imaginando que lo han escrito dos personas: Sabine y Martina. Deberás realizar algunas transformaciones.

Nosotras seguimos en...

....

....

Usos del presente de indicativo

⏩ Usamos el presente de indicativo, sin valor temporal, cuando hablamos de verdades generales.

> *El Sol es una estrella.*

> *Enero tiene 31 días.*

⏩ También lo usamos para dar instrucciones.

> *Sigues todo recto por esa calle y después tomas la segunda a la izquierda...*

⏩ Usamos el presente para referirnos a acciones pasadas, para relatar hechos históricos y biográficos, normalmente en textos formales.

> *En 1914 comienza la Primera Guerra Mundial.*

⏩ Lo usamos para referirnos a acciones ciertas en el momento actual y a acciones que se repiten regularmente.

> *Mis padres están en Lugo.* [ahora]

> *Raúl juega a fútbol tres veces por semana.* [habitualmente, periódicamente]

⏩ Lo usamos, para referirnos a acciones futuras, cuando queremos presentar una información como segura; por ejemplo, cuando hablamos de algo programado o nos referimos al futuro inmediato.

> *Mañana viajo a Barcelona.*

> *Ahora mismo salgo.*

Voy al gimnasio 4 días a la semana, ¿y tú?

Yo veo el fútbol por la tele también 4 días a la semana.

2 PROBLEMAS CON EL ESPAÑOL

A. Estas personas estudian español y cuentan cuáles son los problemas que tienen. Completa los textos con los verbos que tienes debajo en la forma adecuada del presente de indicativo.

Ali Azad,
inglés, 33 años

«Yo .... en España desde hace casi diez años. Así que, como he aprendido el español en la calle, lo que me .... más fácil es entender a la gente, pero a veces .... literalmente frases de mi idioma al español y, claro, la gente no .... lo que .... decir. Tampoco domino la gramática y por eso, aunque .... hablar con mucha fluidez, todavía cometo errores.»

traducir	entender	vivir	querer
resultar	poder		

Alessandro Manzoni,
italiano, 28 años

«A mí me .... mucho leer textos en clase, especialmente artículos periodísticos sobre temas de actualidad. Yo .... que es muy importante leer para aprender vocabulario. Pero mi problema es que, cuando hablo, a menudo no .... recordar las palabras que necesito y .... nervioso.»

creer	poder	gustar	ponerse

«Yo tengo a veces problemas cuando la gente .... muy rápido, y no .... nada. Intento concentrarme en lo que .... , pero es muy difícil, por eso me .... escuchar música en español: para entrenar el oído.»

Keiko Oshima, japonesa, 43 años

| hablar | decir | encantar | entender |

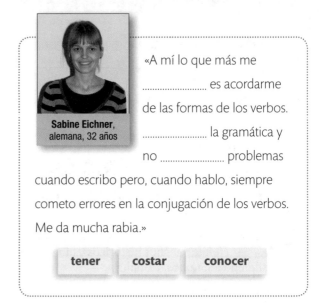

«A mí lo que más me .... es acordarme de las formas de los verbos. .... la gramática y no .... problemas cuando escribo pero, cuando hablo, siempre cometo errores en la conjugación de los verbos. Me da mucha rabia.»

Sabine Eichner, alemana, 32 años

| tener | costar | conocer |

3 JUANES

A. En este texto sobre el cantante Juanes, aparecen verbos en presente de indicativo y en pretérito indefinido. Obsérvalos. ¿Te parece que expresan momentos diferentes del pasado?

Juanes

Juan Esteban nació el 9 de agosto de1972 en Medellín (Colombia) y pasó su niñez en Carolina del Príncipe (departamento de Antioquia). Siendo muy niño, su padre y sus cinco hermanos le enseñaron a tocar la guitarra, instrumento que lo ha acompañado durante toda su vida.

Comenzó su carrera artística a la edad de 15 años, como miembro de la banda de rock Ekhymosis, con la que grabó 5 álbumes. Después de interpretar la música de una campaña publicitaria para una marca de zapatos, recibió propuestas de varias compañías discográficas para cambiar de estilo –entonces hacía *heavy*–. Juanes decidió empezar su carrera como solista con un EP publicado en diciembre de 1999. En 2000 firma un contrato con el productor Gustavo Santaolalla y lanza su primer disco, titulado *Fíjate bien*. Este disco fue nominado a 7 premios Grammy, de los que ganó tres.

Durante la promoción de este álbum, el artista compone su segundo LP de estudio como solista: *Un día normal*, que sale a la luz en 2002. Además del éxito de la canción pacifista «A Dios le pido», destacan en él canciones como «Mala gente», «Es por ti» y el dúo junto a la canadiense Nelly Furtado titulado «Fotografía». En octubre del mismo año, la cadena MTV Latino le otorga el premio al mejor artista del año. Con *Un día normal*, Juanes fue nuevamente nominado a los Grammy, y esta vez se llevó 5.

En 2003 decide lanzar su primer álbum DVD titulado *El diario de Juanes*. En septiembre de 2004, reapareció con el álbum titulado *Mi sangre*, que tuvo un gran éxito en todo el mundo. De él destacan canciones como «La camisa negra» o «Volverte a ver», entre otras, y con él gana 4 Grammy más. Durante 2005 y 2006 Juanes lleva su música por toda Latinoamerica. En agosto de ese año anunció su retiro temporal y durante un tiempo se dedicó a trabajar en causas sociales, descansar con su familia y crear.

En octubre de 2007 Juanes lanzó el álbum *La vida... es un ratico*. Su primer single –el tema «Me enamora»–, que tuvo una acogida muy favorable en Latinoamérica, España y Estados Unidos, se colocó en el primer lugar de las listas de España, Argentina, Uruguay y muchos otros países.

ESTRATEGIA

El tiempo verbal usado en un texto es, a veces, una cuestión de estilo o de punto de vista. Observar los recursos típicos de un tipo de texto (los tiempos verbales utilizados, el léxico, las estructuras, etc.) te servirá para entender mejor esos textos y, en caso de tener que escribir uno, usarlos mejor.

B. Escribe una nueva versión del texto transformando todos los verbos que están en pretérito indefinido en presente.

Formación y uso del pretérito perfecto

➤➤ El pretérito perfecto es un tiempo compuesto. Se forma con el presente de indicativo del verbo **haber** (como verbo auxiliar), seguido del participio del verbo conjugado.

	verbo auxiliar	participio
Yo	he	
Tú	has	
Él/ella/usted	ha	trabaj**ado** com**ido** viv**ido**
Nosotros/ nosotras	hemos	
Vosotros/ vosotras	habéis	
Ellos/ellas/ ustedes	han	

➤➤ El participio es invariable y se forma añadiendo la terminación **-ado** a la raíz de los verbos terminados en **-ar** y la terminación **-ido** a los verbos terminados en **-er** o **-ir**.

➤➤ Algunos participios son irregulares. Estos son algunos de los más frecuentes:

hacer	➜	**hecho**
decir	➜	**dicho**
ver	➜	**visto**
romper	➜	**roto**
volver	➜	**vuelto**
poner	➜	**puesto**
morir	➜	**muerto**
abrir	➜	**abierto**
escribir	➜	**escrito**
cubrir	➜	**cubierto**

Atención: también lo son los verbos derivados.

prever ➜ **previsto**

➤➤ El pretérito perfecto se puede usar para hablar de acontecimientos acabados antes del momento presente. Se usa cuando no queremos o no podemos situar ese acontecimiento en un momento determinado. En este caso, puede estar acompañado de marcadores temporales como **siempre, nunca, una vez, alguna vez, algunas veces, ya, todavía no.**

● ¿**Has estado** (alguna vez) en París?
○ Sí, muchas veces.
● ¡Qué suerte! Yo no **he estado** nunca...

¡Nunca he ido de vacaciones sin mi familia!

➤➤ Lo usamos también para referirnos a acciones pasadas situándolas en un periodo de tiempo que incluye el momento actual o está muy cerca de este; por ejemplo, cuando hablamos de hechos sucedidos hoy. En este caso se pueden asociar con marcadores como **hoy, esta mañana/tarde/noche, esta semana, este fin de semana/mes/año, últimamente, hasta ahora,** etc.

Hoy no **he podido** ir a clase de español.

He terminado de trabajar a las siete. [=hoy]

María **ha tenido** muchos problemas en el trabajo este año. [estamos dentro de este año]

este año | este mes | esta semana | hoy —— momento actual

➤➤ El pretérito perfecto, tal como lo hemos explicado, es propio del español estándar peninsular. En muchas variantes del español su uso es menos extendido o no se utiliza normalmente en la lengua oral. En esos casos, en su lugar se usa el pretérito indefinido.

¿**Viste** a Pedro esta mañana?

Tuve tantos problemas este año que no sé como **aprobé** el curso.

1 EL CORREO DE MICHAEL

Michael, un estudiante de español, le ha escrito un correo electrónico a una amiga. Como todavía no conoce bien los participios, ha dejado algunos huecos. Complétalos.

De: Michael
Para: clara.lara@latinmail.his
Asunto: noticias

Hola, Clara:

¿Cómo estás? No he (poder) .... escribirte hasta hoy porque este mes he (estar) .... muy ocupado. He (tener) .... tres exámenes y he (hacer) .... cuatro exposiciones orales en clase, ¡uf! Menos mal que ya ha (terminar) .... el curso y ahora estoy más tranquilo.
¿Sabes qué me ha (pasar) .... esta mañana? He (ir) .... a la biblioteca a devolver unos libros que tenía desde hace meses y allí me he (encontrar) con Carolina. ¿Te acuerdas de ella? La chica colombiana que conocimos en el tren el año pasado. Me ha (decir) .... que está haciendo un doctorado aquí, hemos (hablar) .... mucho rato y, al final, hemos (decidir) .... hacer un intercambio español-alemán una vez por semana. Me ha (dar) .... muchos saludos para ti. Esa es la buena noticia de la semana, porque últimamente todo me ha (ir) .... mal: he (perder) .... las llaves del coche (¡no se dónde las he (poner) .... !). Y, además, se me han (romper) .... las gafas, o sea que tengo que llevar las lentillas todo el día.
¿Y cómo estás tú? ¿Ha (volver) .... ya Óscar de su viaje a Perú? ¿Has (acabar) .... los exámenes?

Escríbeme, espero tus noticias.
Muchos besos, Michael

2 LA AGENDA DE SARA

Esta es una página de la agenda de Sara. Escucha la conversación telefónica de Sara con su marido y marca lo que ya ha hecho.

51

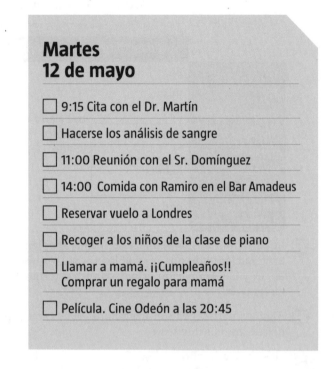

Martes
12 de mayo

- ☐ 9:15 Cita con el Dr. Martín
- ☐ Hacerse los análisis de sangre
- ☐ 11:00 Reunión con el Sr. Domínguez
- ☐ 14:00 Comida con Ramiro en el Bar Amadeus
- ☐ Reservar vuelo a Londres
- ☐ Recoger a los niños de la clase de piano
- ☐ Llamar a mamá. ¡¡Cumpleaños!! Comprar un regalo para mamá
- ☐ Película. Cine Odeón a las 20:45

3 HA ESTADO EN...

A. Matilde Martínez ha hecho muchas cosas interesantes en su vida. Aquí tienes algunos titulares de prensa en los que se comentan algunas de estas cosas. Escribe una frase para cada una de estas experiencias.

Matilde Martínez de vacaciones en Mongolia

....

M. Martínez vuelve a España después de ganar la Palma de Oro en Cannes

....

Obama recibe a Matilde Martínez

....

La astronauta española M. Martínez, de nuevo en el programa de TV *Intrépidos*

....

Martínez, nueva campeona del mundo de póquer

....

Matilde Martínez regresa de su expedición al Himalaya

....

B. Y tú, ¿tienes experiencias semejantes? ¿Qué cosas no has hecho nunca? En un papel escribe seis o más frases.

Ya/todavía no

Para confirmar que se ha producido una acción esperada o que parece probable, o para preguntar sobre esta acción, usamos **ya**. Para expresar que no se ha producido, pero que sigue siendo una acción esperada o probable, usamos **todavía no**.

- ● *¿Ya has cenado?* [=es hora de cenar]
- ○ *No, **todavía no**.*

- ● *¿Ya has vendido el coche?* [=quien pregunta sabe que su interlocutor lo quiere vender]
- ○ *No, **ya** he puesto un anuncio, pero **todavía no** ha llamado nadie.*

4 TODAVÍA NO HE COMPRADO...

Observa los siguientes pares de frases. ¿Qué frase puedes completar con **todavía no**? Completa la otra con **no** o con **nunca**.

1. Luciano .... ha estado en el Museo del Prado, pero tiene muchas ganas de ir.

2. Luciano .... ha estado en el Museo del Prado, no le gusta la pintura.

3. .... he hablado con mi profe de Historia, no vale la pena pedirle una revisión.

4. .... he hablado con mi profe de Historia, no lo encuentro nunca.

5. .... he comprado los billetes de avión, no he encontrado ningún vuelo barato.

6. .... he comprado los billetes de avión, prefiero pasar las vacaciones en casa.

7. Laura .... ha terminado la tesis doctoral; este verano no ha podido escribir ni una línea.

8. Laura .... ha terminado la tesis doctoral; ha dejado los estudios y ha encontrado un trabajo.

5 YA HAN COMPRADO...

En las siguientes imágenes puedes ver a Sara y Alberto en diferentes situaciones. En todas ellas ya han hecho algo, pero todavía no han realizado otra acción (que es esperable). Escribe qué han hecho ya y qué acción todavía no han realizado.

EMBARCAR / PASAR EL CONTROL DE SEGURIDAD

_____ _pero_

_____

LLEGAR AL AEROPUERTO / FACTURAR LAS MALETAS

_____ _pero_

_____

DUCHARSE, VESTIRSE

_____ _pero_

_____

COMPRAR LA ENTRADA / ENTRAR AL CINE

_____ _pero_

_____

PREPARAR EL CAFÉ / TOMÁRSELO

_____ _pero_

_____

Uso y formación del pretérito indefinido

▶▶ Usamos el pretérito indefinido para hablar de acciones pasadas terminadas situándolas (explícita o implícitamente) en un momento exacto del pasado.

▶▶ El pretérito indefinido se forma añadiendo a la raíz del verbo las siguientes terminaciones. Observa que las terminaciones de los verbos de la segunda y la tercera conjugaciones son iguales.

	comprar	volver	vivir
Yo	compré	volví	viví
Tú	compraste	volviste	viviste
Él/ella/usted	compró	volvió	vivió
Nosotros/nosotras	compramos	volvimos	vivimos
Vosotros/vosotras	comprasteis	volvisteis	vivisteis
Ellos/ellas/ustedes	compraron	volvieron	vivieron

❓ **Atención:** en estas formas regulares, la sílaba tónica está siempre en la terminación. En algunos casos, el acento es lo único que diferencia el pretérito indefinido de otras formas verbales:

> *(yo) cambio* (presente)
> **PERO**
> *(él/ella/usted) cambió* (pretérito indefinido)

❓ **Atención:** en los verbos en **-ar** y en **-ir** la forma del pretérito indefinido de **nosotros/as** es igual a la del presente.

> *Ayer **empezamos** la clase a las dos, pero normalmente **empezamos** antes.*

❓ **Atención:** en los verbos acabados en **-er** y en **-ir** que tienen una raíz terminada en vocal, las terminaciones de tercera persona **-ió** e **-ieron** se transforman en **-yó** y **-yeron**.

> *caer* → *cayó, cayeron*

> *creer* → *creyó, creyeron*

> *oír* → *oyó, oyeron*

1 LAS FORMAS DEL INDEFINIDO

A. Escribe las formas de estos verbos en pretérito indefinido según la persona indicada.

1. (ustedes, quedar) _quedaron_ ....
2. (tú, beber) ....
3. (nosotras, decidir) ....
4. (usted, caerse) ....
5. (nosotros, recomendar) ....
6. (vosotras, morder) ....
7. (tú, descongelar) ....
8. (yo, cumplir) ....
9. (ella, acordarse) ....
10. (yo, echar) ....
11. (vosotros, aparecer) ....
12. (él, protestar) ....

B. ¿Cuáles de las formas anteriores podrían ir en las frases siguientes? Fíjate especialmente en las palabras en negrita.

El otro día...

1. .... **en** casa por sorpresa.
2. .... **por** el precio de los libros.
3. .... **con** el Señor Pérez, ¿verdad?
4. .... **de** mí y me llamó.
5. .... poca sal **al** arroz y quedó muy soso.
6. .... **de** la silla, ¿verdad?
7. ....el pescado **en** el microondas, ¿verdad?
8. .... 20 años y nadie me felicitó.

2 AYER LLEGASTE MUY TARDE

Completa los siguientes fragmentos de conversaciones con los verbos propuestos en cada caso usando el pretérito indefinido en la forma personal adecuada.

1. ● Oye, Candela, ayer .... muy tarde al trabajo, ¿no? ¿Qué te .... ?

○ Nada, que .... el tren de las 8.13 y luego, el tren de las 8.48 .... y no .... Así que al final .... un taxi.

llegar	perder	pasar	tomar
	averiarse	salir	

2. ● ¿Qué tal Lidia y tú en Praga? ¿ .... en aquel restaurante tan bonito del centro?

○ No, ¡qué va! .... en medio de esas calles, luego .... a varias personas pero no .... encontrarlo. Así que .... otro lugar para comer.

perderse	preguntar	conseguir
	comer	buscar

3. ● Y ustedes, ¿cómo .... español?

○ Pues yo .... a estudiar en una escuela de lenguas de mi ciudad y después .... un año en Sevilla, terminando mis estudios de Turismo.

■ En mi caso, sin estudiar mucho. .... a Chile, para visitar a unos amigos que viven en Santiago y allí ....,, a mi mujer, Paula. Ella me .... mucho con el español.

conocer	aprender	ayudar	viajar
	empezar	pasar	

4. ● Oye, ¿y tú qué le .... a Silvia por su cumpleaños?

○ Pues una camiseta. El lunes .... una en un escaparate y .... : ¡qué bonita! Así que .... en la tienda y se la .... ¡Le .... mucho!

gustar	entrar	comprar	regalar
	ver	pensar	

5. ● La semana pasada .... una carta de un antiguo novio con el que .... muy mal, super enfadada.

○ ¡Ah, sí! ¿Y qué decía?

● No la ...., la .... en mil pedazos y la .... a la basura.

leer	tirar	recibir	romper	acabar

6. ● Oye, al final Andrea y Nico .... a Nicaragua en agosto, ¿no?

○ Sí, sí, precisamente el otro día Martina y yo .... con ellos y .... mucho rato sobre su viaje. Nos .... muchísimas fotos y nos .... un montón de cosas interesantes sobre el país. La verdad es que les ....

contar	quedar	charlar	encantar
	viajar	enseñar	

Irregularidades del pretérito indefinido (I)

Los verbos de la tercera conjugación (**-ir**) que tienen una **e** o una **o** en la última sílaba de la raíz cambian estas vocales en la tercera persona del singular (**él/ella/usted**) y del plural (**ellos/ellas/ustedes**): e ➔ i; o ➔ u.

	sentir e ➔ i	dormir o ➔ u
Yo	sentí	dormí
Tú	sentiste	dormiste
El/ella/usted	sintió	durmió
Nosotros/nosotras	sentimos	dormimos
Vosotros/vosotras	sentisteis	dormisteis
Ellos/ellas/ustedes	sintieron	durmieron

Otros verbos de este tipo son: **competir, elegir, medir, pedir, preferir, reír, repetir, seguir, sentir, sugerir**…

Hay una serie de verbos que presentan una raíz irregular y unas terminaciones especiales. Dichas terminaciones son las mismas en todos esos verbos.

	estar ➔ estuv-	poder ➔ pud-	venir ➔ vin-
Yo	estuve	pude	vine
Tú	estuviste	pudiste	viniste
El/ella/usted	estuvo	pudo	vino
Nosotros/nosotras	estuvimos	pudimos	vinimos
Vosotros/vosotras	estuvisteis	pudisteis	vinisteis
Ellos/ellas/ustedes	estuvieron	pudieron	vinieron

Estos son los verbos más importantes de este tipo:

andar ➔ **anduv-**	conducir ➔ **conduj-**
caber ➔ **cup-**	decir ➔ **dij-**
estar ➔ **estuv-**	traer ➔ **traj-**
haber ➔ **hub-**	introducir ➔ **introduj-**
poder ➔ **pud-**	traducir ➔ **traduj-**
hacer ➔ **hic-**	saber ➔ **sup-**

Atención: todos estos verbos presentan una peculiaridad respecto a la acentuación: la sílaba tónica de la primera y tercera persona del singular es la penúltima:

> an**du**ve, **hi**ce, con**du**je...

Atención: cuando la raíz irregular termina en **-j** desaparece la **i** de la terminación de la tercera persona del plural (ellos/ellas/ustedes):

> **traer ➔** ~~trajieron~~ **trajeron**

3 ¿COMPRO O COMPRÓ?

52/57

Vas a oír una serie de frases. Debes estar atento al verbo, que puede estar en presente y corresponder a la primera persona del singular (como **compro**) o estar en indefinido y corresponder a la tercera persona del singular (como **compró**). Escribe el verbo que oyes y marca la continuación más lógica.

1. Compr..
- ☐ Por eso me gusta pasar por esta calle.
- ☐ Le encantó a todo el mundo.

2. ....
- ☐ Tomó un taxi y fue a casa de su madre.
- ☐ Espero encontrar un taxi a esta hora.

3. ....
- ☐ Así que al día siguiente se quedó dormido en el examen.
- ☐ Es cuando me concentro mejor.

4. ....
- ☐ A mis amigos les encantan.
- ☐ Casi todos tomaron un segundo plato.

5. ....
- ☐ Porque se olvidó el dinero en casa.
- ☐ Así no tengo que llevar dinero en la cartera.

6. ....
- ☐ Luego voy a clase y, a la salida, a la piscina.
- ☐ El público aplaudió muchísimo todas sus canciones.

4 CRÍTICAS

A. Samuel critica algunas cosas que hace Manuel. Completa las frases con la forma verbal adecuada.

devolver	decir	despedirse	dormir
morirse	pedir	comerse	reírse
llamar	repetir	seguir	sentirse

1. Manu es un maleducado. Ayer se fue de la fiesta y no .... de los dueños de la casa... ¡Y a mí tampoco me .... nada!

2. No es nada sensible. .... el canario preferido de su tía y no la .... por teléfono.

3. Es un caradura. Me .... el coche y dos días después me lo .... con el depósito completamente vacío.

4. No tiene nada de sentido del humor. El otro día fuimos a ver una película divertidísima y no .... ni una sola vez.

5. Es un glotón. Ayer en la cena .... un plato enorme de arroz, ¡y luego .... dos veces! Claro, después en casa .... fatal.

6. Es un dormilón y un vago. El sábado .... más de 10 horas, se despertó a las 11, desayunó y luego .... durmiendo.

B. Imagina que Manuel tiene un hermano gemelo, Daniel, que hace las mismas cosas que él. Reescribe las críticas del apartado **A** hablando de los dos. Deberás realizar algunas transformaciones.

1. Son unos maleducados...

Irregularidades del pretérito indefinido (II)

Hay algunos verbos con irregularidades propias.

	dar	ir / ser
Yo	di	fui
Tú	diste	fuiste
El/ella/usted	dio	fue
Nosotros/nosotras	dimos	fuimos
Vosotros/vosotras	disteis	fuisteis
Ellos/ellas/ustedes	dieron	fueron

Atención: los verbos **ir** y **ser** tienen la misma forma en el pretérito indefinido.

*Alicia **fue** a vivir a Londres en 1999 [ir]; allí, durante un tiempo, **fue** muy feliz.* [ser]

5 LA FIESTA DE CHARO Y PILAR

Charo y Pilar celebraron una fiesta el sábado por la noche y se lo cuentan a unos amigos que no pudieron ir. Completa el texto del correo con la forma adecuada de los verbos que aparecen al lado.

venir	estar	hacer	traer
estar	haber	poner	decir	proponer
querer	saber	tener	decir

○ ○ ○

De: Charo

Para: superjavi@miemail.his,

soraya@difusion.com,

amparo23@todocorreo.his

Asunto: La superfiesta del sábado...

Hola a tod@s:
¡La fiesta del sábado por la noche en casa
.... (1) genial! .... (2) un montón de gente: Nacho y Cecilia, Alberto y sus dos primos Óscar y Paco. Y también Clara y unos amigos suyos. Nosotras .... (3) unos canapés y un pastel de chocolate enorme, pero todos los demás .... (4) algo de comer y de beber, y también música. ....
(5) muy buen ambiente toda la noche. Óscar, que es discjockey, ... (6) una música estupenda. Todos .... (7) hablando y bailando hasta muy tarde.
Una cosa muy graciosa: Paco, que bebió un poquito, ... (8) bailar con Cecilia toda la noche y parece que le .... (9) unas cosas muy románticas, sin saber que es la novia de Nacho. ¡Pobre Paco!
A las 3:00 se estropeó el equipo de música y nadie .... (10) cómo arreglarlo. Entonces .... (11) que improvisar algo y Clara .... (12) hacer un karaoke.
Al final, todos .... (13) que nuestra fiesta fue un éxito.
¿Quién organiza la próxima? ¡Un besazo!

Charo y Pilar

6 IR, DAR Y SER

Completa los siguientes fragmentos con las formas adecuadas de **ir, dar** y **ser**.

1. ● ¿Qué tal ayer con Matías?

○ La verdad, no ....(1) una noche muy romántica. Primero .... (2) a ver una exposición de fotografía y después .... (3) una vuelta por el centro.

2. ● ¿Sabes algo de Elías?

○ Pues sí. Justamente la semana pasada .... (4) su cumpleaños y Carlos y yo .... (5) a cenar con él. Nos .... (6) muchos recuerdos para ti.

3. ● Oye, ¿cuándo es la conferencia sobre reciclaje?

○ .... (7) el viernes pasado, nosotros .... (8) con Arturo. Además, después de la conferencia nos .... (9) una guía práctica para reciclar en casa.

4. ● Juan Sebastián Elcano .... (10) el primer marino que .... (11) la vuelta al mundo. Por ello, el rey de España le .... (12) un escudo con la frase en latín *Primus circundedisti me.*

ESTRATEGIA

Aunque **ir** y **ser** tienen la misma forma en el pretérito indefinido, no es difícil distinguirlos si te fijas bien en el contexto de la frase.

Formación y usos del pretérito imperfecto

El pretérito imperfecto se utiliza para describir personas, objetos, lugares y situaciones del pasado. También se usa para describir acciones habituales o repetidas en el pasado. Se forma añadiendo a la raíz del verbo las siguientes terminaciones.

	via**jar**	**tener**	vi**vir**
Yo	via**jaba**	te**nía**	vi**vía**
Tú	via**jabas**	te**nías**	vi**vías**
Él/ella/usted	via**jaba**	te**nía**	vi**vía**
Nosotros/nosotras	via**jábamos**	te**níamos**	vi**víamos**
Vosotros/vosotras	via**jabais**	te**níais**	vi**víais**
Ellos/ellas/ustedes	via**jaban**	te**nían**	vi**vían**

Atención: los verbos de la segunda y de la tercera conjugación tienen las mismas terminaciones.

Atención: las formas para **yo** y para **él/ella/usted** son iguales.

Irregularidades del pretérito imperfecto

Solo hay tres verbos irregulares en pretérito imperfecto.

	ser	**ver**	**ir**
Yo	era	veía	iba
Tú	eras	veías	ibas
Él/ella/usted	era	veía	iba
Nosotros/nosotras	éramos	veíamos	íbamos
Vosotros/vosotras	erais	veíais	ibais
Ellos/ellas/ustedes	eran	veían	iban

*Cuando **éramos** más jóvenes, **íbamos** mucho a esquiar a Sierra Nevada.*

*Antes **veía** más que ahora a mis amigos de Cáceres, **iba** a visitarlos todos los años.*

1 ¿"TENÍA" ES UN IMPERFECTO?

A. ¿Cuáles de estos verbos están en pretérito imperfecto? Señálalos.

- ☐ compraban
- ☐ supiste
- ☐ acabé
- ☐ acaba
- ☐ salías
- ☐ odian
- ☐ elegía
- ☐ sabías
- ☐ pasabais
- ☐ decían
- ☐ cambia
- ☐ hicieron
- ☐ lavamos
- ☐ guiaba
- ☐ lavábamos
- ☐ odiaban

B. ¿Cuáles de las formas anteriores pueden ir a continuación de las siguientes frases? ¿Qué observas?

Yo antes, cuando era pequeño, ...

....

Enrique antes, cuando era pequeño ....

....

Observación: ....

....

> Yo, cuando era pequeña, iba cada verano a Málaga con mi familia.

> ¡Qué suerte! Yo me quedaba en casa.

2 MUY BIEN COMUNICADOS

A. Lee estos dos textos y decide de qué objeto están hablando. Después, crea un titular para cada texto.

Los primeros aparecieron en los años 80 y **eran** para ejecutivos y profesionales muy ocupados, para personas que **necesitaban** estar siempre bien comunicadas. Había muy pocos modelos y **costaban** mucho dinero. Además, **eran** muy grandes y **llamaban** mucho la atención de la gente. Pero las cosas cambiaron rápidamente: a finales de los años 90, los nuevos modelos **eran** mucho más baratos y **cabían** en un bolsillo. Además el precio de las llamadas **empezaba** a ser más bajo. Ahora son muy comunes en todo el mundo y, en muchos países, todo el mundo tiene uno.

Yo tuve el primero en 1998. Antes de entonces **usaba** otros medios para comunicarme. Cuando no **estaba** en casa, **llamaba** desde el trabajo o desde un teléfono público. Recuerdo que cuando **quedaba** con mi novio o con algún amigo para tomar un café, **charlábamos** tranquilamente sin interrupciones, ni llamadas ni mensajes, con más intimidad. Y cuando **salía** a pasear sola, ¡nadie me **encontraba**!

¿De qué hablan?: ....
....

B. Ahora observa las formas destacadas. Di a qué infinitivo y a qué persona corresponden.

Forma	Infinitivo	Persona
usaba	usar	yo

C. Escoge cuatro verbos del texto: uno en –**ar**, uno en -**er**, uno en –**ir** y uno irregular, e intenta conjugar todas sus formas.

3 ¿YO, ÉL, ELLA...?

🔊 58 / 63

Vas a escuchar dos frases que contienen la forma verbal **vivía**, dos que contienen **iba** y dos que contienen **estaba**. Decide en cada caso a qué persona gramatical se refiere: **yo, él, ella** o **usted**.

vivía

1. .... 2. ....

iba

3. .... 4. ....

estaba

5. .... 6. ....

ESTRATEGIA

Algunas formas verbales en español pueden corresponder a varias personas. Para entender a qué persona se refieren es útil fijarse en el contexto.

4 ANTES Y AHORA

En las siguientes frases faltan algunas formas verbales. Complétalas usando los verbos propuestos conjugándolos en el tiempo y la persona adecuados.

comer	vivir	escuchar	saber	estar	salir	fumar	tener	ser	tener	hablar	ir

1. Mi hermana antes .... muchos dulces, pero el médico se los prohibió.

2. Cuando yo .... pequeño, mis abuelos .... una casa en la playa.

3. Antes de nacer nuestro primer hijo, mi mujer y yo .... mucho a cenar y a bailar.

4. Cuando yo .... en la universidad, muchos estudiantes .... en clase, pero ahora está prohibido.

5. Cuando Vicente .... en Caracas, ... siempre en coche al trabajo.

6. Antes no .... cocinar, pero ahora preparo unos platos de pasta y unos pescados estupendos.

7. Antes de venir a España, Tadaaki no .... nada de español.

8. Cuando yo .... 16 años, mis amigos y yo .... sobre todo música electrónica.

5 UN CAMBIO DE VIDA

Las siguientes personas hablan de su pasado. Completa cada texto con los verbos propuestos.

Reyna Hernández, 23 años
Nacimiento: Acapulco (México)
Profesión: estudiante de publicidad

"Cuando yo era adolescente, en mi pueblo no .... mucho que hacer. Para ganar algo de dinero, después del instituto, ... ayudando a los pescadores algunas tardes. Lo mejor era que mi hermana y yo .... la guitarra en un grupo y a veces .... algún concierto en Acapulco, la ciudad más grande de mi región. Pero en realidad .... bastante en un lugar tan pequeño. Por eso decidí venir a estudiar a México D.F.".

aburrirse	tocar	trabajar
haber	dar	

Tania Marco, 31 años
Nacimiento: Cienfuegos (Cuba)
Profesión: entrenadora de natación

"En época de competición .... ocho horas al día en la piscina, seis días por semana. Después de un campeonato .... a preparar el siguiente. No .... relajarme mucho: no .... con mis amigos, ni .... a discotecas, para no perder la forma física. .... muy duro pero me .... mucho. Por eso ahora soy entrenadora".

entrenar	ir	empezar
gustar	ser	salir	poder

Vicente Pons, 63 años
Nacimiento: Valencia (España)
Profesión: empresario retirado

"Cuando trabajaba en la fábrica, ... mucha responsabilidad: la producción, las ventas, los trabajadores... Una vez por semana, ... para reunirme con mis clientes en Madrid o Barcelona. Y una vez al mes .... los almacenes de mis distribuidores. Por las noches .... muy pocas horas y siempre .... mucho estrés. Además, con tanto trabajo, no .... más de una semana de vacaciones seguida y .... poco tiempo con mi familia".

tomarse	pasar	tener
viajar	dormir	visitar	tener

6 LA HABITACIÓN DE QUICO

A. Esto es una fotografía de la habitación de Quico cuando tenía 18, hace muchos años. ¿Qué cosas puedes decir sobre cómo era Quico y qué cosas hacía? Puedes hablar de deportes, aficiones, lecturas, lugar de residencia...

....

....

....

....

....

....

....

....

....

....

....

....

....

....

....

....

....

B. ¿Y tú? ¿Qué puedes decir de cómo era tu vida hace 10 años? Puedes hablar de deportes, aficiones, lecturas, lugar de residencia, estudios o trabajo, familia, cosas que te gustaban o no te gustaban, rutina diaria (lo que hacías cada día), etc.

....

....

....

....

....

....

El imperativo afirmativo y el imperativo negativo

El imperativo afirmativo tiene cuatro formas, las personas **tú**, **vosotros/as**, **usted** y **ustedes**.

	estudiar	comer	escribir
Tú*	estudia*	come*	escribe*
Vosotros/vosotras	estudiad	comed	escribid
Usted	estudie	coma	escriba
Ustedes	estudien	coman	escriban

*Con el uso de **vos**, la 2.ª pers. del sing. es como la 2.ª pers. del plur., sin la **-d** final: **estudiá**, **comé**, **escribí**.

La forma regular para la 2.ª persona (**tú**) es igual a la forma del presente para **tú**, pero sin la **-s** final.

	presente de indicativo	imperativo
Tú	duerme<u>s</u> →	duerme
Tú	empieza<u>s</u> →	empieza

El imperativo de las personas **usted** y **ustedes** se forma añadiendo a la raíz de la 2.ª persona del singular (**tú piensas → piens-**) las siguientes terminaciones.

	pensar	comer	dormir
Usted	piense	coma	duerma
Ustedes	piensen	coman	duerman

Hay ocho verbos que son irregulares en imperativo y que no se ajustan a las reglas anteriores.

La forma para **vosotros/as** se obtiene substituyendo la **-r** final del infinitivo por una **-d**.

> estudiar → estudia**d**
> comer → come**d**
> escribir → escribi**d**

Atención: no existen formas irregulares de imperativo afirmativo para las formas de **vosotros/as**.

El imperativo negativo tiene formas diferentes de las del afirmativo para las personas **tú** y **vosotros**.

	estudiar	comer	escribir
Tú	no estud**ies**	no com**as**	no escrib**as**
Vosotros/vosotras	no estud**iéis**	no com**áis**	no escrib**áis**
Usted	no estud**ie**	no com**a**	no escrib**a**
Ustedes	no estud**ien**	no com**an**	no escrib**an**

Tiene sobrepeso: coma más verdura. Y haga un poco de deporte.

	decir	hacer	ir	poner	tener	salir	ser	venir
Tú	di	haz	ve	pon	ten	sal	sé	ven
Vosotros/vosotras	decid	haced	id	poned	tened	salid	sed	venid
Usted	diga	haga	vaya	ponga	tenga	salga	sea	venga
Ustedes	digan	hagan	vayan	pongan	tengan	salgan	sean	vengan

1 EL PERFECTO ROBOT DOMÉSTICO

Gramátic es un robot que puede ayudarte en tus tareas domésticas, solo debes programarlo eligiendo uno de los verbos propuestos y escribiendo las órdenes en imperativo y en la forma de la segunda persona del singular (**tú**).

recoger	fregar	planchar	enchufar	ir	preparar	encender	poner
poner	meter	elegir	apretar	elegir	aspirar	enchufar	

1. Gramátic, ... la mesa y .... los platos.

2. Gramátic, ... la plancha y .... toda la ropa.

3. Gramátic, ... a la cocina, ... el fuego. .... una sartén en el fuego y .... unos huevos fritos.

4. Gramátic, ... la aspiradora, ... la potencia máxima y .... el suelo de toda la casa.

5. Gramátic, ... la ropa sucia en la lavadora, ... el detergente en el cajoncito de la izquierda, ... el programa de lavado de ropa de color y .... el botón de la derecha.

Algunos usos del imperativo

▶▶ El imperativo se puede utilizar para dar instrucciones.

Deje su mensaje después de la señal, gracias…

*Pele las patatas y **córtelas** en rodajas finas.*

▶▶ También, entre otros usos, podemos utilizar el imperativo para dar consejos.

No sé cuál llevarme. Me gustan mucho los dos.

***Cómprate** el azul, es más bonito.*

Posición de los pronombres

▶▶ Los pronombres reflexivos y los de OD y OI se colocan detrás del imperativo afirmativo, formando con el verbo una sola palabra.

*Aquí tienes la cámara, pero **úsala** con cuidado.*

***Levántese**, por favor, **póngase** de pie.*

🔵 **Atención:** la palabra formada con el imperativo y el pronombre se acentúa según las reglas de acentuación.

▶▶ Con el imperativo negativo los pronombres se colocan delante del verbo.

*Ese bolso es demasiado caro, no **te lo** compres.*

*Paco no sabe que estoy aquí; tú no **se lo** digas, ¿vale?*

2 SÍ, SÍ, PASA

🔊 64/68 Los imperativos, que son frecuentes en situaciones de contacto social, nos indican si alguien nos trata de **tú** o de **usted**. Completa en cada caso la terminación que oyes y marca a qué persona corresponde: **tú** o **usted**.

● Perdone, ¿puedo pasar? ○ Sí, sí, pas................ .	☐ Tú ☐ Usted
● Hola. Buenos días. ○ Buenas, por favor, siént..................	☐ Tú ☐ Usted
● Hola. Vengo a hacer una consulta. ○ Sí, di..............me. ¿De qué se trata?	☐ Tú ☐ Usted
● Hola. Tengo una cita con Paz Pardo. Soy Lucas Ferri. ○ Muy bien. Esper.................. un segundo.	☐ Tú ☐ Usted
● ¿Puedo abrir la ventana? Tengo muchísimo calor. ○ Claro. Ábr..............la, sin problema.	☐ Tú ☐ Usted

E**STRATEGIA**

En algunos contextos de contacto social es importante saber si alguien se dirige a nosotros usando la forma **tú** o la forma **usted**. Las formas verbales nos ayudan a distinguir estos dos tratamientos.

3 LA SALUD ES LO QUE IMPORTA

A. En este artículo, publicado en una revista especializada en temas de salud, faltan los verbos en imperativo. Completa los huecos con los verbos propuestos en la forma de la 2.ª persona del singular (**tú**).

| sentarse | utilizar | evitar | ir | dormir | controlar | hacer | nadar |

SIGUE ESTOS CONSEJOS PARA EVITAR LOS DOLORES DE ESPALDA:

1 .... ejercicio físico regularmente: abdominales, dorsales y ejercicios de hombros.

2 .... sobre un colchón firme y de buena calidad.

3 .... técnicas de relajación para calmar los dolores causados por el estrés o la tensión.

4 .... tu peso. Recuerda que el sobrepeso afecta también a la columna vertebral.

5 .... levantar demasiado peso; y si lo haces, flexiona las piernas para no forzar la columna.

6 .... al traumatólogo si el dolor persiste o es demasiado intenso. Nadie puede aconsejarte mejor que él.

7 ...., como mínimo, una vez por semana. La natación es un deporte muy completo y apto para todas las edades, que favorece la buena salud de las articulaciones y los músculos.

8 .... con la espalda recta cuando trabajas con el ordenador y recuerda que el teclado debe estar en la misma línea que los brazos, ni más arriba, ni más abajo.

B. Reescribe el texto usando la persona **usted** en vez de la persona **tú**. Ten en cuenta que eso afecta a los verbos, a los pronombres y a los posesivos.

Construcciones impersonales sobre el tiempo

▶▶ En español existen varios tipos de construcciones impersonales, es decir, que no tienen sujeto gramatical. Algunas de ellas se usan para hablar de fenómenos meteorológicos.

Verbos impersonales como **llover, nevar, granizar, helar...** conjugados siempre en la 3.ª persona del singular.

> *En mi ciudad no ø **nieva** nunca.*

> *Cuando ø **llueve** prefiero quedarme en casa.*

▶▶ **Hace + sol/viento/frío/calor, buen/mal tiempo, buen/mal día, ... grados**.

> *Hace <u>muy buen día</u> para hacer windsurf: **hace** <u>sol, viento</u> y más de <u>20 grados</u>.*

▶▶ El verbo **estar** con adjetivos como **nublado, sereno, despejado, soleado**...

> *Creo que va a llover, **está** muy <u>nublado</u>.*

▶▶ **Hay/ha habido/hubo...** se combinan con sustantivos como **niebla, tormenta**, etc.

> *Es peligroso conducir cuando **hay** <u>niebla</u>.*

Hoy hace sol, pero ayer hacía un frío increíble.

1 EL DÍA IDEAL PARA...

🔊 69/71 Los periodistas de toda España de Radio Ocio escriben cada día en este blog recomendado qué hacer en sus ciudades. Completa los textos con las palabras que faltan. Después, escucha la audición y comprueba tus respuestas.

RadioOcio

01.
Día ideal para ir a la playa en Tenerife

Aquí en Tenerife .... un día perfecto para ir a la playa. .... sol, pero no .... demasiado calor: 24 grados. Hay que aprovechar porque el resto de la semana va a .... nublado.

02.
Día ideal para esquiar en el Pirineo Aragonés

Hoy en Jaca .... un día fantástico para acercarse a las estaciones de esquí de Candanchú y Formigal. Esta noche ha .... abundantemente y tenemos 30 cm de nieve acabada de caer y en perfecto estado. No .... mucho frío, 5 grados, y tampoco .... demasiado viento. En algunos puntos .... un poco de niebla, pero eso no dificulta la práctica del esquí.

03.
Día ideal para pasear en San Sebastián

En San Sebastián hoy no .... ni frío ni calor: 15 grados, un tiempo ideal para pasear. Las calles están mojadas porque esta noche ha .... , pero pueden salir sin paraguas porque hoy va a .... sol hasta el final de la tarde. Destacamos que en Deba esta noche ha .... una fuerte tormenta...

Formas impersonales con hacer y haber

El verbo **hacer** en 3.ª persona del singular se usa para expresar el tiempo que ha pasado desde que se produjo un cierto hecho hasta el momento actual.

> *Llegué a España **hace dos meses**.* [= desde el momento en que llegué hasta ahora han pasado dos meses]

> *Conocimos a Marta **hace cinco años y medio**, cuando fuimos a Sevilla.* [= desde ese momento han pasado cinco años y medio]

Cuando usamos el verbo **haber** para expresar existencia, esta forma tiene valor impersonal y solo se usa en la forma de 3.ª persona singular. **Hay** es una forma especial del presente del verbo **haber**. Otras formas son **ha habido** (pretérito perfecto), **hubo** (pretérito indefinido), **había** (pretérito imperfecto), etc.

> *Aquí normalmente no ø **hay** problemas de tráfico, pero esta semana **ha habido** algunos.*

La perífrasis **hay que** + infinitivo es impersonal.

> *Para aprender bien una lengua ø **hay que practicar** mucho.*

2 ¿CUÁNTO TIEMPO HACE?

Sergio anota en un calendario algunas de las cosas más importantes que viven él y sus amigos.
Si actualmente estamos en octubre de 2013, ¿cuánto tiempo hace que pasaron esas cosas?

2011

Mes	
enero	
febrero	Boda de Paco
marzo	
abril	Nacimiento de mi hija Lola
mayo	
junio	
julio	Vuelta de Carmen del Brasil
agosto	
septiembre	
octubre	Empiezo a trabajar en Molosa
noviembre	
diciembre	

2012

Mes	
enero	¡Tere gana un premio Goya!
febrero	
marzo	
abril	
mayo	
junio	
julio	
agosto	
septiembre	Nacimiento de mi hijo Nico
octubre	
noviembre	
diciembre	

2013

Mes	
enero	
febrero	
marzo	
abril	Traslado de Carmen a Madrid
mayo	
junio	
julio	Mi último día de trabajo en Molosa
agosto	
septiembre	
octubre	
noviembre	
diciembre	

1. Paco se casó hace _____ años y _____ meses.

2. ....

3. ....

4. ....

5. ....

6. ....

7. ....

8. ....

Se impersonal

◗◗ Con la construcción **se** + verbo en 3.ª persona podemos dar una información sin mencionar el sujeto de la frase. Podemos usar este recurso cuando no sabemos quién realiza la acción o no deseamos explicitarlo, cuando damos instrucciones o cuando generalizamos.

> *Stonehenge **se construyó** hace casi 5000 años.*

> *Para hacer tinto de verano **se mezcla** vino y gaseosa, y luego **se pone** un poco de hielo y unas rodajas de limón.*

> *En verano **se está** muy bien en mi pueblo: **se ve** a los amigos de siempre, **se sale** mucho...*

◗◗ También usamos esta construcción para hablar de costumbres, hábitos y normas (a veces asociados a un lugar).

> *En España **se usa** la palabra «coche», pero en Chile, **se dice** más «auto» y en otros países **se oye** más «carro».*

> *Aquí no **se permiten** animales sueltos.*

◗◗ Con verbos que pueden llevar Objeto Directo, si el sustantivo que expresa ese OD es plural, el verbo de la construcción **se** + 3.ª persona va también en plural, y si es singular, el verbo va también en singular.

> **Se** <u>necesitan</u> <u>camareros</u>.
>   PLUR.   PLUR.
> **Se** <u>necesita</u> <u>camarero</u>.
>   SING.   SING.

> <u>Las noticias</u> **se** <u>emiten</u> a las 9.
>   PLUR.   PLUR.
> <u>Las bebidas</u> **se** <u>pagan</u> en la barra.
>   PLUR.   PLUR.

◗ **Atención:** en los casos en los que el OD va precedido de la preposición **a**, el verbo va en singular.

> *En el restaurante solo se atiende <u>a</u> los señores clientes a partir de las nueve.*

3 SE PUBLICAN DIARIAMENTE

A. En las siguientes frases falta el sujeto. ¿Puedes decir cuál de las dos opciones (**a** o **b**) puede serlo?

1. se publican diariamente en los periódicos de todo el mundo.

☐ a. Los índices de la bolsa de Nueva York
☐ b. Los periodistas económicos

2. enseña únicamente en una escuela de idiomas del centro.

☐ a. El turco
☐ b. Mi profesor de turco

3. se reparan en un único taller mecánico de la ciudad.

☐ a. Estas motos de carreras
☐ b. Los mecánicos

4. se venden en las farmacias.

☐ a. Los nuevos productos de la marca Klin
☐ b. Los farmacéuticos

5. se pueden curar sin necesidad de usar antibióticos.

☐ a. Algunas infecciones
☐ b. Los médicos

B. Comprueba tus resultados del apartado **A**. ¿Qué debes cambiar en las cinco frases para tener como solución correcta la opción que has descartado?

1. Los periodistas económicos ~~se~~ publican diariamente en los periódicos de todo el mundo.

2. ....

3. ....

4. ....

5. ....

4 ¿SE VE?

Completa las siguientes frases con estos verbos en la forma correcta.

vivir	vender	ver (2)	llegar	tirar
pronunciar	permitir	construir		oír
	publicar	usar		

1. ● ¿En tu habitación funciona bien la tele? Porque en la mía no .... bien la imagen.

   ○ Pues aquí la imagen .... pero no .... bien el sonido. Creo que hay que arreglar la antena.

2. ● He leído en una revista del corazón que Javier Tardem tiene un hijo secreto. ¿Tú crees que es verdad?

   ○ ¡Eso son tonterías! Todo lo que .... en esas revistas es mentira.

3. En este país no .... fumar en los lugares de trabajo, está prohibido.

4. Las gafas oscuras .... para protegerse del sol, pero algunas personas las llevan solo por razones estéticas.

5. Aquí los sellos .... únicamente en los estancos y las cartas .... en cualquier buzón.

6. ● Oye, ¿en Canarias cómo .... el sonido de la «z»?

   ○ Pues igual que en América, como una «s».

7. Estoy harto de la ciudad, cada vez .... más edificios y más autopistas. Creo que en el campo .... más tranquilo.

8. ¿Cómo .... más rápido hasta el campus de la universidad? ¿En tren o en autobús?

EN ESPAÑA SE DUERME LA SIESTA, SOBRE TODO EN FIN DE SEMANA.

🌐 MUNDO PLURILINGÜE

Seguro que en tu lengua o en otras que conoces hay un tipo de construcciones que funciona de manera similar al se impersonal. Traduce las frases y observa si en todos los casos se usa la misma construcción.

a En España se come muy tarde.

b. Se buscan camareros.

c. No se aceptan tarjetas de crédito.

d. Se prohíbe la entrada a menores de 18 años.

¡Hola!   您好！   مرحبا

Ser y estar

Usamos el verbo **ser** para definir, clasificar, identificar y hablar de las características propias de conceptos, cosas y personas. Esas características propias pueden ser referidas a la composición, la procedencia, la propiedad, la profesión, la finalidad, etc.

> *Un abrigo es una prenda de vestir larga y normalmente gruesa.* [definir]

> *¿El tomate es una fruta o una hortaliza?* [clasificar]

> *Este es Juanjo y aquellos son Moncho y Pancho.* [identificar]

> *Esta chaqueta es de piel, ¿te gusta?* [composición]

> *La bici roja es de mi hermano mayor.* [propiedad]

> *Azuzena es de Toledo* [procedencia], *trabaja conmigo y es arquitecta.* [profesión]

> *Este arroz es para hacer la paella.* [finalidad]

Usamos el verbo **ser** con adjetivos para caracterizar y valorar con carácter general.

> *Alicia es muy guapa y muy simpática.* [físico y carácter]

Atención: con algunos adjetivos solo podemos usar el verbo **ser**.

> *capaz, posible, inteligente, importante, etc.*

Estar

Usamos el verbo **estar** para valorar con los adverbios **bien** y **mal**.

> *La última película de Amenábar está muy bien.*

Usamos el verbo **estar** con adjetivos para expresar una circunstancia que afecta a una persona o cosa como resultado de un proceso y para valorar algo o a alguien como resultado de una experiencia o de una apreciación.

> *Hoy estoy muy nervioso porque tengo un examen.*

Atención: los participios con valor de adjetivo (**cansado, enfadado, muerto, roto, sentado, agachado**, etc.) y un grupo de adjetivos (**contento, enfermo, lleno, vacío**, etc.) van únicamente con **estar**.

> *¡A comer!, la cena ya está preparada.*
> ~~La cena ya es preparada.~~

> *Marga está contenta porque le han dado una buena noticia.*
> ~~Es contenta.~~

Usamos **estar** para describir la postura de algo o alguien: **de pie, de rodillas**, etc.

> *Ubaldo está de pie en el salón.*

---

1 AMIGOS EN LA RED

A. Los emoticonos se usan mucho en la red para expresar estados de ánimo; aquí tienes unos cuantos. ¿Con qué estados asocias cada uno? Si lo necesitas, busca el significado de estos adjetivos en el diccionario.

| triste | feliz | sorprendido | muy triste | contento | enfadado |

B. Viajeros&amigos es una web para personas que viajan mucho y buscan amigos en todo el mundo. Aquí tienes las presentaciones de cuatro personas. Lee y haz su descripción usando **ser** y **estar**.

Viajeros & amigos
1 Usuario: Dante22 Género: H Mi país de origen: Italia Escribo desde: São Paulo, Brasil Mi ocupación: piloto Mi estado de ánimo: 😊
2 Usuario: Hernan44 Género: H Mi país de origen: Colombia Escribo desde: París, Francia Mi ocupación: arquitecto Mi estado de ánimo: 😊
3 Usuario: JulietteB Género: M Mi país de origen: Bélgica Escribo desde: Roma, Italia Mi ocupación: directora de Marketing Mi estado de ánimo: 😮
4 Usuario: Yuri_aero Género: H Mi país de origen: Rusia Escribo desde: Madrid, España Mi ocupación: auxiliar de vuelo Mi estado de ánimo: 😄

1. Dante es un hombre italiano, es piloto y hoy está en...

2. ....

3. ....

4. ....

....

C. Ahora escribe una descripción parecida sobre ti.

....
....
....
....
....
....

Ser y estar para hablar de la hora, la fecha, el espacio y el tiempo

» Usamos **ser** para expresar la hora y la fecha.

> *Aquí **son** las diez y media, pero en Los Ángeles **es** la una y media.*

> *Hoy **es** 10 de junio. **Es** martes.*

Atención: cuando nos incluimos a nosotros o a otros en la frase, usamos la expresión **estar a/en** + fecha.

> ● *¿**Estamos** <u>en</u> enero o en febrero?* [mes]
> ○ ***Estamos** <u>a</u> 31 de enero.* [día]

» **Ser** sirve para localizar eventos y acontecimientos en un lugar y en un momento. En este caso, **ser** expresa que se desarrolla un proceso en un lugar o tiempo determinados.

> *La fiesta **es** en casa de Juan.*

> *Los conciertos de rock **son** normalmente los sábados por la noche en el polideportivo.*

> *El descubrimiento de América **fue** en 1492.*

» **Estar** sirve para localizar a una persona o una cosa en el espacio.

> *La casa de Alberto **está** cerca del centro.*

> *Alberto **está** en la playa.*

2 FELIZ AÑO NUEVO

A. El año nuevo llega por el Este. ¿Sabes en qué orden llega a estos cuatro países?

Argentina ....   Colombia ....

España ....   México ....

B. Los corresponsales de un canal de televisión hispano hablan a los telespectadores desde cuatro ciudades diferentes. Coloca los nombres de los cuatro países en su lugar y elige los verbos adecuados en cada caso.

1. ¡Feliz Año Nuevo desde Málaga! En ....

   ya **es/está** lunes. **Es/está** día 1 de enero y ahora

   son/están las doce y media de la noche. Como

   en toda Europa, aquí **es/está** invierno.

2. Aún **es/está** domingo en Buenos Aires. En

   .... todavía **es/está** 31 de diciembre. **Es/**

   está verano y en este momento **son/están** las

   nueve y media de la noche.

3. Aquí, en Cartagena, en ...., aún **es/está**

   domingo y **somos/estamos** a día 31 de diciem-

   bre. **Somos/estamos** en la época menos calurosa

   del año y en este instante **son/están** las seis y

   media de la tarde.

4. ¡Hola desde México D.F.! Aún **es/está** domingo

   en .... Aquí **somos/estamos** a 31 de

   diciembre. **Es/está** invierno y en este instante

   son/están las cinco y media de la tarde.

C. ¿Y En este momento? ¿Cuál es tu situación? Di el día, el lugar, la hora exacta y la estación del año en que estás.

....

....

....

....

La forma hay y el verbo estar

» **Hay** es una forma impersonal del presente del verbo **haber**. Se usa para hablar de la existencia de cosas y personas, a menudo en relación con un lugar. Se trata de información que mencionamos por primera vez o que suponemos que la persona que nos escucha no conoce. En los demás tiempos, se usan las formas de tercera persona del singular del verbo **haber**: **ha habido**, **había**, **hubo**... En todos los casos, se usa una única forma para hablar tanto de objetos en singular como en plural.

> *En mi calle **hay** una heladería estupenda.* [existencia en relación con un lugar]

> ● ***Hay** un nuevo estudiante en mi clase de francés.* [existencia en relación con un lugar]
> ○ *¿Ah, sí?, ¿y cómo se llama?*

> *¿**Hay** alguna carta para mí?*

» Las cosas contables de las que hablamos con **hay** llevan artículos indeterminados, numerales o cuantificadores; pero también pueden usarse sin determinante para expresar una cantidad indeterminada. Los sustantivos no contables en singular no llevan determinante.

> *En Huelva **hay** <u>un</u> parque nacional precioso.*

> *En San Sebastián **hay** <u>tres</u> playas.*

> *Hoy **hay** ø fuegos artificiales, ¿vamos a verlos?*

> *No **hay** ø aceite en casa. ¿Bajas a comprar?*

»» También se usa para preguntar por la ubicación de una cosa o persona que presentamos sin determinar completamente (es decir, sin artículo definido ni demostrativos ni posesivos).

> ● *¿Dónde **hay** un restaurante argentino?*
> ○ ***Hay** <u>uno</u> en la Gran Vía, cerca de la estación de metro.*

🔔 **Atención:** cuando nos referimos a elementos de los que suponemos que lo normal es que exista solamente uno o cuando los presentamos como categoría, podemos no usar determinante.

> *En el pueblo **hay** ø hospital, pero no **hay** ø cines, ni ø teatros.*

3 QUÉ HAY EN...

Escribe al menos tres cosas que puedes encontrar en cada uno de estos lugares. Puedes pensar en algún lugar concreto que conoces y completar los sustantivos con cuantificadores (**muchos/as, bastantes, pocos/as...**), con algún adjetivo, etc. Puedes usar el diccionario.

1. En un aeropuerto: En el aeropuerto de Madrid hay muchos mostradores de facturación. También hay muchas puertas de embarque y aviones de diferentes compañías. Hay cintas transportadoras...

2. En un hospital: ....

....

3. En un banco: ....

....

4. En un restaurante: ....

....

4 SER, ESTAR, HAY

Completa las siguientes frases con la forma adecuada de **ser, estar** o **hay** para expresar la intención comunicativa entre corchetes. A veces vas a necesitar las formas **un/a/os/as** o **el/la/los/las**.

1. a. ¿Sabes dónde .... **(una/la/Ø)** farmacia por aquí? **[No sé si por aquí hay alguna farmacia.]**
b. ¿Sabes dónde .... **(una/la/Ø)** farmacia Zarra? **[Me han dicho que hay una con ese nombre pero no sé dónde.]**

2. a. En la Plaza Mayor .... **(un/el/Ø)** restaurante donde se come muy bien.**[Supongo que no lo conoces y que esta información te va a ser útil si quieres comer por allí.]**
b. En la Plaza Mayor .... **(un/el/Ø)** mejor restaurante de la ciudad. **[Quiero comunicar dónde está.]**

3. a. Creo que .... en el gimnasio. **[Alguien quiere saber dónde está Mónica en este momento.]**
b. Creo que .... en el gimnasio. **[Alguien quiere saber saber dónde se da la clase de taichi.]**
c. Creo que .... en el gimnasio. **[Alguien quiere saber dónde encontrar algunas toallas limpias.]**

4. a. ¿Sabes dónde .... **(un/el/Ø)** hospital de este pueblo? **[Supongo que hay uno porque en pueblos como este, normalmente hay uno y quiero encontrarlo.]**
b. ¿Sabes dónde .... **(un/el/Ø)** hospital en este pueblo? **[Tal vez hay varios, uno de ellos me sirve.]**

🌐 MUNDO PLURILINGÜE

Seguro que puedes traducir estas frases a tu lengua o a otra lengua que conoces. ¿Los verbos destacados funcionan de manera similar a las del español?

1. ● ¿Quién llama?
  ○ **Es** tu hermana, dice que le **está** comprando una cosa a tu madre y que quiere hablar con ella.
  ● Pues mamá no **está**...

2. ●¿Dónde **es** la reunión de vecinos?
  ○ **Es** en el portal del edificio.

3. Sandra **es** muy guapa, pero hoy **está** espectacular.

¡Hola!

您好！

مرحبا

El infinitivo

▶▶ Las formas no personales del verbo no se conjugan y no expresan ni tiempo ni persona por sí mismas. En español hay tres: el infinitivo, el gerundio y el participio.

Infinitivo	Participio	Gerundio
comprar	comprado	comprando

▶▶ El infinitivo es la forma básica del verbo y lleva una terminación que determina el tipo de conjugación del verbo: **-ar**, **-er** o **-ir**. El infinitivo puede funcionar como sustantivo y realiza las funciones de este dentro de la frase.

Sujeto	*Nadar reduce el estrés.*
	*Me encanta **dormir**.*
Objeto Directo de algunos verbos	*Quiero **salir**, ¡me aburro!*
	*¿Ir en coche? No, hoy prefiero **caminar**.*
Detrás de algunas preposiciones	*¿Me enseñas a **bailar** salsa?*
	*Estoy cansado de **estudiar**.*
	*He ahorrado un poco de dinero para **ir** de vacaciones.*

▶▶ El infinitivo también puede tener sujeto y complementos.

Objeto Directo	*Comer fruta fresca es bueno para la salud.*
Objeto indirecto	*Mi idea es **comprarle** una cámara de fotos a mi padre.*
Complementos con preposición	*¿Queremos **bailar** en la pista, ¿no se puede?*
	*No está bien **hablar** mal de las personas ausentes.*

▶▶ El infinitivo no expresa el tiempo ni la persona, pero podemos saber esta información por otros elementos de la frase.

*Ya es muy tarde, quiero **volver** a casa.* [sujeto de volver: yo]

***Viajar** a África ha sido una experiencia inolvidable.* [tiempo de viajar: pasado]

---

1 **COMILÓN ES ALGUIEN QUE...**

¿Conoces estos adjetivos? Si no, búscalos en el diccionario. Luego, completa las siguientes definiciones usando uno de los verbos propuestos.

hacer	comer	conocer	estar

saber	arreglar	reír

1. «Cotilla» es alguien que quiere .... todo de la vida de los demás.

2. «Manitas» es alguien que sabe .... todo tipo de cosas.

3. «Gracioso» o «graciosa» es alguien que hace .... a los demás.

4. «Sociable» es alguien al que le gusta .... a gente nueva.

5. «Insociable» es alguien al que no le gusta .... con gente desconocida.

6. «Principiante» es alguien que está empezando a .... alguna actividad.

7. «Comilón» o «comilona» es alguien que adora ....

Estar + gerundio

➤➤ **Estar** + gerundio es una perífrasis que usamos para presentar una acción en su desarrollo. Usamos esta estructura para expresar que la acción sucede en el momento preciso en el que estamos hablando.

> *Carmelo no viene al cine porque **está esperando** una llamada de su novia, que está en los Andes.* [Carmelo espera mientras hablamos]

> *Perdona pero tengo que colgar, **están llamando** a la puerta.*

> ● *¿Qué **está haciendo** Pati con el pan?*
> ○ ***Está mojándolo** en leche para hacer torrijas.*

> ¿Qué tal? ¿Qué estás haciendo?

> Nada, estoy cocinando, preparando unas empanadillas para Encarna.

➤➤ Con **estar** + gerundio también podemos presentar las acciones como algo habitual pero restringido a un cierto espacio de tiempo.

> *Me levanto a las 8.* [=siempre, normalmente, los días laborables…]

> *Me **estoy levantando** a las 8.* [=este último mes, estas últimas semanas…]

> ***Estoy viendo** mucho a tu jefe por el barrio, ¿se ha mudado aquí?* [=últimamente]

❗ **Atención:** por su significado, esta perífrasis se usa típicamente con verbos que expresan actividad, pero no con verbos que expresan estado, capacidad, hábitos o conocimiento, como **estar, poder, soler, conocer, saber, creer**, etc. Tampoco se usa con **tener** cuando expresa posesión, ni con **llevar** cuando significa **usar una prenda de ropa**.

> *Hoy el cielo está muy azul.*
> ~~Hoy el cielo está estando muy azul.~~

> *Puedo hacer varias cosas a la vez.*
> ~~Estoy pudiendo hacer varias cosas a la vez.~~

> *Suele ir a la piscina.*
> ~~Está soliendo ir a la piscina.~~

> *Sabemos montar en bicicleta.*
> ~~Estamos sabiendo montar en bicicleta.~~

> *Carla tiene un apartamento en la playa.*
> ~~Carla está teniendo un apartamento en la playa.~~

Pero…

> *La nueva película de Benicio del Toro **está teniendo** mucho éxito.*

> *Hoy llevas una camiseta muy chula.*
> ~~Hoy estás llevando una camiseta muy chula.~~

Pero…

> *Tania **está llevando** a los niños al cole.*

➤➤ Con la perífrasis **estar** + gerundio, los pronombres personales se colocan antes del verbo **estar** o después del gerundio, formando una única palabra.

> ● *¿Qué tal la novela que te he dejado?*
> ○ *La **estoy terminado**, me encanta. = **Estoy terminándola**, me encanta.*

> Estoy escribiéndole una carta a mi ex novia ¡tengo muchas cosas que decirle!

3 ¿QUÉ ESTÁN HACIENDO?

Marta, su marido Luis y su hijo Hugo tienen un día a día muy lleno. Observa y di qué están haciendo en cada caso.

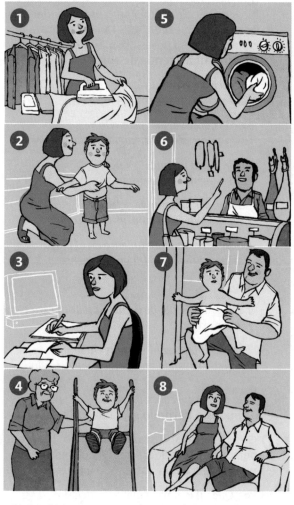

1. Aquí Marta .... la ropa.

2. Aquí Marta .... a su hijo Hugo.

3. Aquí Marta .... en el despacho.

4. Aquí Hugo .... con su abuela en el parque.

5. Aquí Marta .... la ropa de la lavadora.

6. Aquí Marta .... la compra.

7. Aquí Luis .... a Hugo.

8. Aquí Marta y Luis .... en el comedor.

4 CAMBIOS

A. Últimamente Leopoldo ha cambiado un poco. Completa las frases con **estar** + gerundio y los verbos adecuados.

ir	llegar	contar	reírse
perder	salir	comprarse	

1. Siempre ha sido muy puntual, pero últimamente .... tarde a todos los sitios.

2. Es muy poco deportista y no le gusta hacer ejercicio, pero estas últimas semanas .... cada día a correr.

3. Es alguien muy ordenado y muy organizado, pero estos últimos tiempos .... muchas cosas: las llaves, el pasaporte...

4. Es bastante serio y no sonríe mucho, pero últimamente siempre .... y .... chistes.

5. Tiene gustos bastante clásicos en todo, en la ropa, en la música... pero ahora .... ropa más moderna.

6. Nunca ha tenido novia y no le gusta hablar de asuntos personales, pero creo que .... con alguien.

 B. Escucha la audición y comprueba tus respuestas.

72/77

Tipos de oraciones

▸▸ Oraciones declarativas: su intención básica es informar. En español tienen una entonación descendente.

> *Hola, soy Ramón, el nuevo vecino.*

▸▸ Oraciones interrogativas: su intención básica es obtener información. Tienen una entonación ascendente y se representa con los signos ¿ ?.

> *Disculpa, ¿necesitas ayuda?*

▸▸ Oraciones exclamativas: su intención básica es expresar una emoción o actitud ante algo: sorpresa, enfado, alegría, etc. O también influir sobre los demás. Tienen una entonación enfática pero descendente, y se representan con los signos ¡ !.

> ● *¿Sabes qué? Emilia va a tener un hijo.*
> ○ *¿Ah sí? ¡Qué gran noticia es esa!*

> ● *¡Hable más bajo, por favor!*

❓ **Atención:** en español, los signos ¿ y ¡ se usan para señalar, respectivamente, dónde empiezan las frases interrogativas y exclamativas.

¿He dormido muchas horas?

Pues sí, unas cuantas.

1 LO OYES, ¿LO OYES?, ¡LO OYES!

A. ¿Puedes pronunciar estas frases con la entonación adecuada?

1. Ya está aquí mi autobús.

2. ¿Te ha dado su teléfono?

3. ¡No sabe cómo llegar!

4. ¡Son los amigos de Jandro!

5. ¿Estudia muchas horas al día?

6. ¡Qué paella!

¡Qué paella!

B. Escucha la entonación de cada frase y complétalas con los signos (¿?), (¡!) o simplemente con un punto (.).

78/85

1. .... Llegas tarde al trabajo ....

2. .... Te ayudo con las bolsas ....

3. .... Tengo que llevar mi pasaporte ....

4. .... Os han visto juntos por la calle ....

5. .... Ese es el nuevo profesor de ciencias ....

6. .... Cuántos ejercicios hiciste hoy ....

7. .... Qué película hemos visto ....

8. .... Te van a dar el puesto de director ....

La interrogación

⏩ Son preguntas de interrogación total o preguntas de respuesta cerrada aquellas preguntas que esperan, básicamente, una respuesta **sí**, **no** o equivalente.

> ● *¿Te acuerdas de mí?*
> ○ **No**, *lo siento. Creo que me confundes.*

> ● *¿Venís con nosotros al cine? Vamos a ver* Los otros.
> ○ **Vale**, *¿a las 5 o a las 7?*

⏩ Cuando queremos pedir confirmación de algo, podemos transformar una frase declarativa en una pregunta añadiendo al final **¿no?** o **¿verdad?**.

> ● *La casa de Alicia está por aquí, ¿no?*
> ○ **Sí, sí**, *aquí, cerca de la plaza.*

⏩ Son preguntas de interrogación parcial o preguntas de respuesta abierta las que preguntan por un elemento de la frase. Este elemento se indica con un interrogativo al inicio de la frase (a veces acompañado por una preposición).

> ● *¿Dónde has comprado esas naranjas?*
> ○ *En el mercado.*

> ● *¿A quién quieres invitar?*
> ○ *A todos mis amigos.*

💡 **Atención:** el elemento interrogativo siempre lleva acento gráfico (tilde). En la interrogación parcial la entonación es menos marcada que en la total, porque es más fácil identificar que se trata de una pregunta por la presencia del interrogativo.

Oye, ¿has visto mis gafas?

¿Lo dices en serio?

Los interrogativos **quién/es**, **qué**, **cuál/es**

⏩ **Con quién/quiénes** preguntamos por personas. En las preguntas con valor general, usamos la forma singular. Pero cuando nos referimos a personas concretas, puede ser necesario marcar el número plural.

> *¿**Quién** es ese chico?*

> *¿**Quién** tiene la culpa de la crisis?*

Pero

> *¿**Quiénes** son esos señores de negro?*

⏩ Con **qué** preguntamos por objetos y acciones. Su forma es invariable.

> ● *¿**Qué** hay en esa caja?*
> ○ <u>*Bombones de chocolate*</u>. *¿Quieres uno?*

> ● *¿De **qué** está hecha esa camiseta?*
> ○ *De algodón.*

⏩ **Qué tal** es equivalente a **cómo** en preguntas que esperan como respuesta **bien/mal** o **bueno/malo**.

> *¿**Qué tal** te lo has pasado?* = *¿**Cómo** te lo has pasado?*

> *¿**Qué tal** estás?* = *¿**Cómo** estás?*

⏩ **Qué** + sustantivo pregunta por elementos de una categoría o por el grupo designado por el sustantivo.

> *¿**Qué** <u>profesor</u> te gusta más?* [del conjunto de profesores]

> *¿**Qué** <u>platos</u> me puedes recomendar?* [del conjunto de platos que conoces]

⏩ Si queremos restringir más aún los elementos a los que nos referimos, podemos usar **cuál/es de + los/las** (u otros determinantes) + sustantivo.

> *¿**Cuál** <u>de los candidatos</u> te parece más apropiado?*

> *¿**Cuál** <u>de estos dos colchones</u> crees que es más cómodo?*

⏩ Cuando por el contexto ya está claro a qué categoría de elementos nos referimos, usamos **cuál** o **cuáles**.

> *¿**Cuál** te gusta más? ¿La <u>mesa</u> redonda o la cuadrada?*

> *¿**Cuál** es tu <u>talla</u> de zapatos?*

> ● *¿Ese <u>coche</u> no es tuyo?*
> ○ *¿**Cuál**?*
> ● *Ese, el rojo.*

💡 **Atención:** la combinación **cuál** + sustantivo se usa sobre todo en el español de Hispanoamérica.

2 ¿QUÉ HACEMOS?

Completa las siguientes preguntas con **quién, qué** o **cuál.**

1. ● ¿ .... quieres hacer esta tarde?

   ○ La verdad, no sé. ¿Vamos al cine?

2. ● ¿ .... nos llevamos? ¿El sofá rojo o el azul?

3. ● Aquí hay muchas rutas para hacer a pie.
   ¿ .... prefieres?

   ○ No sé, la más corta. Estoy un poco cansado.

4. ● ¿ .... vestido te vas a poner esta noche?

5. ● ¿ .... quieres, dinero o un regalo?

6. ● ¿De .... color pintamos la habitación?

7. ● ¿ .... prefieres, comer un bocadillo o ir a un restaurante?

8. ● ¿A .... le has dicho ya que cambias de trabajo?

   ○ Aún no se lo he dicho a nadie, no he tenido tiempo.

9. ● ¿ .... va a venir contigo, Jordi o Andrés?

10. ● Esta semana Vargas Llosa y García Márquez van a presentar sus nuevos libros.

    ○ .... de los dos te gusta más?

11. ● ¿ .... sabes de Marta?

    ○ Nada, hace mucho que no hablo con ella.

12. ● ¿Quieres comprarte un ordenador portátil y no sabes .... ? Mira en nuestro catálogo.

3 SER O NO SER

Todas estas preguntas llevan el verbo **ser.** Complétalas con **quién, qué** o **cuál.**

1. ● ¿ .... es tu segundo apellido?

2. ● ¿ .... es tu película favorita?

3. ● ¿ .... es «Tupelículafavorita.com»?
   ○ Es una página web donde puedes encontrar información sobre todas las pelis.

4. ● ¿ .... es "Lolo"?
   ○ Es un diminutivo familiar para hombres que se llaman Manuel.

5. ● ¿ .... es «el día del espectador»?
   ○ Es un día especial con descuentos para ir al cine. El día cambia según la ciudad o los cines: aquí, normalmente, es el lunes o el miércoles.

6. ● ¿ .... es Lolo?
   ○ En esta foto, es el que tiene el pelo largo y rizado.

7. ● ¿Ves esos dos profes de ahí? Pues uno es el que me da clases particulares a mí.
   ○ ¿Ah, sí? ¿ .... de ellos?

8. ● ¿ .... día es hoy?
   ○ Viernes, viernes 15.

9. ● ¿Y .... es el día del espectador en tu ciudad?
   ○ El miércoles.

10. ● ¿Sabes .... es el cajero más cercano?
    ○ El de la calle Zurbarán, creo.

Los interrogativos cuánto/a/os/as, cómo, dónde, cuándo, por qué, para qué

▶▶ Con **cuánto/a/os/as** + **sustantivo** preguntamos por la cantidad. Se usa en singular con sustantivos incontables y en plural, con sustantivos contables. Concuerda en masculino y femenino con el sustantivo al que se refiere.

> *¿**Cuánto** tiempo necesitas?* [sustantivo incontable masculino]

> *¿A **cuánta** gente le envías felicitaciones de Navidad?* [sustantivo incontable femenino]

> *¿**Cuántos** años tienes?* [sustantivo contable]

Podemos usar **cuánto/a/os/as** sin sustantivo cuando, por el contexto, está claro a qué nos referimos.

> *Hay muchas personas que saben español, ¿pero **cuántas** lo escriben perfectamente?*

> *Sé que lleva muchos años aquí, ¿pero **cuántos** exactamente?*

Usamos **cuánto** sin nombre cuando preguntamos por la cantidad o la intensidad sin querer hacer referencia a ningún sustantivo.

> *¿**Cuánto** mides?*

> *¿**Cuánto** se tarda en llegar a Burgos en tren?*

▶▶ Con **cómo** preguntamos por la manera de hacer algo.

> ● *¿**Cómo** se preparan las patatas riojanas?*
> ○ *Con cebolla, ajo y chorizo.*

> ● *¿**Cómo** consigues tan buenas notas?*
> ○ *Pues estudiando mucho.*

▶▶ Con **dónde** preguntamos por el lugar.

> ● *¿**Dónde** están mis llaves?*
> ○ *En la mesa del dormitorio.*

> ● *¿Por **dónde** se va al centro?*
> ○ *Por esa avenida de ahí.*

> ● *¿**Adónde*** vas?*
> ○ *A la piscina.*

* Con verbos de movimiento, que llevan la preposición **a**, es posible usar **adónde**.

▶▶ Con **cuándo** preguntamos por el momento.

> ● *¿**Cuándo** termina el curso?*
> ○ *La semana que viene.*

> ● *¿**Desde cuándo** está aquí?*
> ○ *Desde las 12.30 h.*

▶▶ Con **por qué** preguntamos por la causa o por la razón de algo.

> ● *¿**Por qué** hablas tan rápido?*
> ○ *Porque estoy muy nerviosa.*

> ● *¿**Por qué** discuten tanto Ana y Pili?*
> ○ *Por dinero, tienen un negocio juntas.*

▶▶ Con **para qué** preguntamos por la finalidad o por el el objetivo de una acción o de un objeto.

> ● *¿**Para qué** compraste esas velas?*
> ○ *Para ponerlas en la mesa.*

> ● *¿**Para qué** es ese hielo?*
> ● *Para los refrescos.*

¿Dónde vio usted por última vez al desaparecido? ¿Cuándo? ¿Cuánto rato? ¿Para qué quedó con él? ¡Responda!

4 CUÁNDO, CÓMO, POR QUÉ...

Decide en cada caso qué interrogativo corresponde a las respuestas obtenidas.

1. ● ¿ .... has ido a la fiesta de Laila?

   ● ¿ .... has ido a la fiesta de Laila?

   ● ¿ .... has ido a la fiesta de Laila?

   ○ Para ver a sus hermanas, ya sabes que a ella no la aguanto.

   ○ Más tarde que tú, a las 11:00 o así.

   ○ Andando, vive aquí al lado.

2. ● ¿ .... ha dormido Javier?

   ● ¿ .... ha dormido Javier?

   ● ¿ .... ha dormido Javier?

   ● ¿ .... ha dormido Javier por la tarde?

   ○ Porque esta noche tiene guardia y tiene que trabajar.

   ○ En casa de Lolo.

   ○ Muy bien, ha pasado una noche muy tranquila.

   ○ 10 horas, una barbaridad.

3. ● ¿ .... compras las revistas de decoración?

   ● ¿ .... compras las revistas de decoración?

   ● ¿ .... compras las revistas de decoración?

   ○ Mañana, no te preocupes.

   ○ Cerca de aquí, en un kiosco muy bueno.

   ○ Para tener ideas para el piso de la playa.

4. ● ¿ .... habéis decidido ir de viaje?

   ● ¿ .... habéis decidido ir de viaje?

   ● ¿ .... habéis decidido ir de viaje?

   ● ¿ .... habéis decidido ir de viaje?

   ○ Ayer por la tarde.

   ○ Pues al final a Cuba.

   ○ Pues es que tenemos días de fiesta y hay una oferta muy buena.

   ○ Juanma, Pili, Chema y yo.

Bueno, pues ya estamos en la playa. ¿Cuándo nos vamos?

5 CONSULTA NUESTRO CATÁLOGO

¿Sabes qué es una lista de «Preguntas Más Frecuentes»? Aquí tienes un ejemplo en español. Lee el texto con atención y completa los espacios con los pronombres interrogativos de la lista.

IDEA
PREGUNTAS MÁS FRECUENTES

1. ¿...................... es «Idea»? Es una nueva manera de decorar tu hogar.

2. ¿...................... somos? Conoce nuestros orígenes.

3. ¿...................... necesitas para tu hogar? En nuestra tienda puedes encontrar todo tipo de muebles, ropa y complementos del hogar.

4. ¿...................... te quieres gastar? Encuentra lo que buscas al mejor precio. Puedes hacer tu presupuesto gratuitamente aquí.

5. ¿...................... quieres pagar tus compras? Paga en efectivo hoy, o más adelante con nuestra línea de crédito.

6. ¿...................... te lo entregamos? En nuestras tiendas o en tu casa (por compras superiores a 300 € el transporte es gratis).

7. ¿...................... tiendas tenemos? Hay 22 tiendas en toda España.

8. ¿...................... es tu tienda más cercana? Escribe tu código postal en la ventanilla y encuentra tu tienda Idea.

9. ¿...................... abrimos? Todos los días laborables de 10:00 a 20:00, los viernes de 8:00 a 22:00 y los sábados de 8:00 a 23:00.

10. ¿...................... sirve nuestra tarjeta cliente? Para muchas cosas: para obtener descuentos, para participar en promociones y para conseguir regalos.

11. ¿...................... puede beneficiarse de nuestros descuentos? Todo el mundo. Consulta la sección *Descuentos y Promociones*.

12. ¿...................... comprar en una tienda Idea? Hay mil razones, pero las más importantes son: nuestro diseño, nuestra calidad... y nuestros precios imbatibles. ¡Te esperamos!

 MUNDO PLURILINGÜE

Cuando formulas una pregunta en tu lengua, ¿aparecen algunas palabras especiales? ¿Cuáles? ¿La interrogación en español te parece más fácil o más difícil que en otras lenguas?

您好!

¡Hola!

 مرحبا

Transcripciones

Soluciones

Glosario de términos gramaticales

NOMBRE EN ESPAÑOL	DEFINICIÓN	INGLÉS	ALEMÁN	FRANCÉS	ITALIANO	HOLANDÉS	OTRA LENGUA
ADJETIVO	Palabra que acompaña al sustantivo y aporta información sobre cualidades o sobre características de la cosa o persona nombrada. • *Un viaje **interminable**.* • *Tres **buenas** razones.*	adjective	Adjektiv	adjectif	aggettivo	bijvoeglijk naamwoord	
ADVERBIO	Palabra invariable que aporta información sobre un verbo, sobre un adjetivo o sobre otro adverbio. Puede ser información sobre el modo, el tiempo, el lugar, la cantidad, etc. • ***Últimamente** no tengo hambre.* • *Pepe está **muy** preocupado por mí.*	adverb	Adverb	adverbe	avverbio	bijwoord	
ARTÍCULO	Palabra que antecede al sustantivo e indica su género y número; si este se introduce por primera vez en la comunicación se denomina artículo de primera mención, si ya ha aparecido, artículo de segunda mención. • ***Los** vecinos de Maite son un encanto.* • *Marcos tiene **unas** plantas preciosas.*	article	Artikel	article	articolo	lidwoord	
CONECTOR	Palabra o grupo de palabras que se utiliza para unir dos partes de un texto. Puede expresar una relación de causa, de finalidad, etc. • *¿Eres de Alcorcón **o** de Móstoles?* • ***Después de** la siesta, trabajo un poco.*	linker	Bindewort	connecteur	connettore / nesso	signaal-woord	
CUANTIFICADOR	Elemento o palabra que aporta información acerca de la cantidad de la cosa a la que se refiere. • *¿Tienes **bastantes** hojas?* • *Vinieron **algunos** amigos a vernos.*	quantifier	Mengenang-abe	quantificativ	quantifica-tore	onbepaald	
DEMOSTRATIVO	Palabra que antecede a un sustantivo o lo remplaza, y con la que se hace referencia a ese sustantivo indicando su cercanía o su lejanía respecto a las personas que hablan (tanto en el espacio como en el tiempo). • ***Estas** flores no son de verdad, ¿no?*	demonstra-tive	Demons-trativpro-nomen, -begleite	démonstratif	dimostra-tivo	aanwijzend voornaam-woord	
GERUNDIO	*Forma no personal del verbo que expresa la acción en su desarrollo y, a menudo, también el modo.* • *¿Estáis **hablando** de mí?* • *Ha aprendido español **viendo** la tele*	gerund	Gerundium	gérondif	gerundio	gerundium	
INFINITIVO	El Infinitivo es la forma básica del verbo. Expresa la acción en sí. Funciona también como sustantivo. • ***Comer** productos frescos es bueno para la salud.* • *Quiero **verte** pronto, ven a casa.*	infinitive	Infinitiv	infinitif	infinito	infinitief, hele werk-woord	
INTERROGATIVO	Pronombre o adjetivo que introduce una pregunta de respuesta abierta y que indica la información que se desea obtener. • *¿**Cómo** funciona esta máquina?* • *¿**Cuánto** hace que has llegado?*	interroga-tive pronoun	Interrogativ-pronomen / Fragewort	interrogatif	interroga-tivo	vraagwoord	

NOMBRE EN ESPAÑOL	DEFINICIÓN	INGLÉS	ALEMÁN	FRANCÉS	ITALIANO	HOLANDÉS	OTRA LENGUA
NUMERAL	Los numerales cardinales son palabras que expresan una cantidad determinada de cosas o personas. Los numerales ordinales indican el orden de algo en una serie. • *Hay **cinco** cines en la ciudad.* • *El **tercer** año de Medicina es muy difícil.*	numeral	Zahlwort	numéral	numerale	telwoord	
OBJETO DIRECTO	Parte de la frase que recibe directamente la acción del verbo. • *¿Ves **esa casa**? **La** ha comprado Paco.*	direct object	direktes Objekt	objet direct	complemento oggetto	lijdend voorwerp	
OBJETO INDIRECTO	Parte de la frase que recibe indirectamente la acción del verbo. • ***Les** llevo unos dulces **a tus padres**.* • ***Me** encanta el mar en invierno.*	indirect object	indirektes Objekt	objet indirect	complemento oggetto indiretto	meeverkend voorwerp	
PARTICIPIO	Forma no personal del verbo que se utiliza para formar tiempos verbales compuestos. A veces, puede actuar como adjetivo. En ese caso, recibe marcas de género y número. • *Nos hemos **sentado** en un banco del parque y hemos **charlado**.*	past participle	Partizip II / Partizip Perfekt	participe	participio	voltooid deelwoord	
POSESIVO	Palabra que identifica algo o a alguien refiriéndose a su poseedor. Esta relación puede ser de posesión, parentesco, pertenencia a un grupo, etc. • *¿Esta cazadora de cuero es **tuya**?* • ***Nuestra** empresa es líder de mercado.*	Possessive pronoun	Possessiv-pronomen, -begleiter	possessif	possessivo	bezittelijk voornaam-woord	
PREPOSICIÓN	Palabra que establece una relación entre dos elementos de la oración. • *Mañana salimos **hacia** Cali.* • *Los vasos son **de** cristal **de** Murano.*	preposition	Präposition	préposition	preposizione	voorzetsel	
PRONOMBRE PERSONAL	Palabra que se utiliza para referirse a las diferentes personas gramaticales. • ***Yo** tengo hambre, ¿y **vosotros**?* • ***Nos** han traído unas pastas de Cáceres.*	Personal pronoun	Personal-pronomen	pronom personnel	pronome personale	persoonlijk voornaam-woord	
SUJETO	Parte de la frase que concuerda obligatoriamente en persona y en número con el verbo. • ***Zoila** está en Toledo, ¿**tú** lo sabías?* • *Me encanta **el helado**.*	subject	Subjekt	sujet	soggetto	onderwerp	
SUSTANTIVO o NOMBRE	Palabra con la que se nombra a una persona, a un animal, un objeto, un concepto o una entidad. Existen dos clases fundamentales: los nombres propios (entidades únicas) y los nombres comunes (objetos y conceptos). • *El **perro** está en la **casa** de **Marcos**.* • *¿Tenemos las **llaves** del **coche**?*	noun	Substantiv / Nomen	nom	sostantivo / nome	zelfstandig naamwoord	
VERBO	Palabra que se emplea para hablar de procesos, acciones o estados. • *Estas niñas **bailan** muy bien.* • *Últimamente **hemos ido** bastante al teatro.*	verb	Verb	verbe	verbo	werkwoord	

Índice de pistas del CD

UNIDAD 1

ejercicio 1	pistas 1-4
ejercicio 2. A	pista 5
ejercicio 2. B	pista 6
ejercicio 3. A	pista 7
ejercicio 3. C	pista 8
ejercicio 4	pista 9
ejercicio 5	pistas 10-14
ejercicio 6. A	pista 15
ejercicio 6. B	pista 16
ejercicio 7	pista 17

UNIDAD 3

ejercicio 2	pistas 18-21

UNIDAD 4

ejercicio 1	pista 22-27
ejercicio 4	pista 28

UNIDAD 6

ejercicio 3	pistas 29-31

UNIDAD 7

ejercicio 4	pistas 32-35

UNIDAD 8

ejercicio 1	pistas 36-39

UNIDAD 9

ejercicio 4	pistas 40-44

UNIDAD 10

ejercicio 5	pistas 45-50

UNIDAD 13

ejercicio 2	pista 51

UNIDAD 14

ejercicio 3	pistas 52-57

UNIDAD 15

ejercicio 3	pistas 58-63

UNIDAD 16

ejercicio 2	pistas 64-68

UNIDAD 17

ejercicio 1	pistas 69-71

UNIDAD 19

ejercicio 4	pistas 72-77

UNIDAD 20

ejercicio 1	pistas 78-85

UNIDAD 1

1 TE LO DELETREO

1.
- ¿Cuál es tu apellido?
- Iturriaga.
- ¿Cómo?
- Iturriaga: I, T, U, R, R, I, A, G, A.
- Ah, vale.

2.
- ¿Su apellido?
- Marquina.
- ¿Me lo deletrea?
- Claro: M, A, R, Q, U, I, N, A.

3.
- ¿Su primer apellido?
- Cilleruelos.
- ¿Eso cómo se escribe?
- C, I, L, L, E, R, U, E, L, O, S.

4.
- ¿Cómo se apellida?
- Polichuk.
- ¿Cómo?
- Polichuk, es ruso: P, O, L, I, C, H, U, K.

2 UN POQUITO, POR FAVOR

A.

tranquila	aspecto	parque	copa
vecino	corto	aquí	mosca
cebolla	pinchos	caballo	alquiler
acción	chicos	parecer	kiosco

B.
1. poquitín
2. riquísimo
3. kiosquero
4. mosquitera

3 ¿CEREZAS EN ESCOCIA?

A.
1. deducir
2. eficaz
3. dirección
4. brazos
5. cabeza
6. Escocia
7. cereza
8. catorce
9. cazuela
10. baloncesto

C.
1. cerradura
2. carcelero
3. zamorano
4. cazadora

4 GEMA Y GUILLERMO SON PAREJA

agenda	jefe	Guillermo	gracia
gustar	gerente	energía	

5 ¿VALENCIA O PALENCIA?

1. Vivo en Palencia.
2. Me gusta el vino.
3. Para comer ha traído un bollo.
4. Juan tiene una beca.
5. Estoy buscando el paño.

6 ARROZ CON MARISCO FRESCO

A.
1. perro
2. marisco
3. padre
4. barro
5. arroz
6. pera
7. rubia
8. fresco
9. Conrado
10. barco
11. leer
12. problema

B.
1. abierto
2. rápido
3. 3puerro
4. puerto
5. Roberto
6. 6verde
7. rojo
8. Enrique
9. bailar

7 SABER ESPAÑOL ES ÚTIL

1. útil
2. camiseta
3. musical
4. allí
5. familiar
6. saber
7. alquilo
8. bebéis
9. alquiló
10. limpiáis
11. fiesta
12. español
13. fútbol
14. ático
15. simpáticas
16. jardín
17. móvil
18. examen
19. azul
20. jabón
21. azúcar

UNIDAD 3

2 COCHES

1.
- ¿Qué tipo de coche quieren?
- Queremos un coche muy elegante y lujoso. Si es posible, grande.
- Ajá.
- Queremos un coche llamativo. Es para una ocasión especial.

2.
- ¿Qué tipo de coche está buscando?
- Pues necesito un coche económico, práctico, pequeñito... pero, sobre todo, que sea barato.

3.
- ¿Qué coche buscan?
- Pues mire, queremos un coche deportivo, mejor si es descapotable, bonito. Puede ser caro, no importa.

4.
- ¿Qué tipo de coche necesita?
- ○ Un coche fuerte, resistente. Es para ir al campo.

UNIDAD 4

1 OFERTAS DE VACACIONES

1.
Pues a mí no sé, me gusta más esta, porque puedes viajar a más lugares en un mismo país, ¿no?

2.
Los dos son viajes muy largos, pero en este hay que hacer menos escalas.

3.
Mira, en esta hay menos cenas gastronómicas incluidas que en la otra.

4.
Hombre… las dos están bien, pero me interesa más esta porque tiene más salidas organizadas… o sea, excursiones…

5.
Esta es más flexible, porque tienes más épocas del año para viajar…

6.
Ya, ya… ya sé que no es super importante pero fíjate: esta te ofrece una noche menos de hotel que la otra.

4 JUANA Y SUS HERMANAS

Soy tan alta como ella y las dos estamos delgadas y tenemos el pelo largo. Aunque yo lo tengo más rubio y liso. Mi ropa es más moderna que la ropa de Juana. Y, claro, soy bastante más guapa…

UNIDAD 6

3 ¿ESTA O ESTÁ?

1.
- Qué tal está el día?
- ○ Mmm, déjame ver… ---------.

2.
- ¿Qué zapatillas me puedes dejar?
- ○ Esas de ahí, las rojas.
- A ver, ---------

3.
- Oye, ¿has visto a Azucena? No está en casa, ¿verdad?
- ○ ---------

UNIDAD 7

4 ¿DEL CHICO O DE LA CHICA?

1.
- Las gafas estas de buceo, ¿son tuyas?
- ○ Sí, son mías.

2.
- ¿Estas gafas de sol son las tuyas?
- ○ No, tía, son las tuyas.
- Uy, sí es verdad.

3.
- No te dejes la agenda.
- ○ ¿Es la mía?
- Claro, es la tuya.

4.
- Me llevo la crema.
- ○ ¿Es tuya?
- ¡Uy, no!, es tuya, perdona.
- ○ Jaja, sí, es la mía, pero llévatela.

UNIDAD 8

1 ¿TIENE O NO TIENE?

1.
- Hola, buenas.
- ○ Hola.
- ¿Tienen magdalenas?
- ○ A ver… sí, quedan algunas.

2.
- ¿Una cosa, hay suficientes platos?
- ○ Sí, hay bastantes.

3.
- Oye, Marcos, ¿tú tienes amigos en Madrid?
- ○ ¿En Madrid? Ninguno.

4.
- ¿Tú has estado alguna vez en Nueva York, Eugenia?
- ○ Ninguna.

UNIDAD 9

4 ¿DE QUÉ HABLAN?

1.
- ¿Las has probado?
- ○ No, las he comprado hace poco. No las he probado aún.

2.
- ¿Dónde la tenéis?
- ○ La hemos puesto en la sala.

3.
- ¿Los has visto?
- Sí, los he visto. ¡Qué preciosidad son!

4.
- ¿Lo dejas en la terraza?
- A veces lo tengo en la terraza y a veces lo pongo en el balcón del otro lado.

5.
- Mira, la he recibido esta mañana.
- ¿Y de dónde te la han mandado?

UNIDAD 10

5 ¿DÓNDE PONGO ESTO?

1.
- ¿Qué hacemos con la alfombra?
- La pueden poner en la sala, en medio de la sala está bien.

2.
- ¿Y el sillón?
- Ponelo en la sala.
- ¿Al lado de la puerta de la terraza está bien?
- Sí, perfecto.

3.
- ¿Metemos ya el sofá?
- Sí, por favor.
- ¿Dónde lo ponemos?
- En la sala, debajo de las ventanas.
- Ah, vale.

4.
- ¿Y la tele?
- La tele va en el cuarto pequeño.
- Vale, en el cuarto de la entrada, ¿no?
- Sí, exacto.

5.
- ¿Metemos la cama ahora?
- Perfecto, hay que ponerla en la sala.
- ¿En la sala?
- Sí, de momento hay que ponerla en la sala, delante de las ventanas.

6.
- ¿Y esta planta?
- De momento ponela en la cocina, al lado de la ventana.
- Vale.

UNIDAD 13

2 LA AGENDA DE SARA

- Sunrise viajes, dígame...
- Hola Sara, soy yo.
- ¡Ah! ¡Hola, cariño!
- Oye, que quería preguntarte qué tal en el médico esta mañana.
- Pues nada, me ha dicho que estoy bien y que tengo que volver dentro de un mes, con los resultados de los análisis.
- Bueno, ¿y te has hecho los análisis?
- No, es que tenía una reunión a las 11:00 y no quería llegar tarde. Así que he pedido cita para la semana que viene.
- Ah, bueno.
- Sí, pero después he llegado a la oficina y me he enterado de que la reunión se había aplazado para la semana próxima.
- Pues vaya...
- Sí. Total, que no hemos tenido reunión. Oye, que ya he reservado el vuelo a Londres. Es un poco caro, pero bueno...
- ¡Ah! ¡Qué bien!
- Sí, menos mal que he encontrado algo.
- Oye, ¿y te has acordado del regalo de tu madre?
- Sí, se lo he comprado esta tarde. He ido a comer con Ramiro y como la joyería está al lado del bar Amadeus, le he comprado una pulsera.
- ¿Una pulsera?
- Sí, a ver si le gusta. Esta mañana la he llamado por teléfono para felicitarla y me ha dado un beso para ti.... Por cierto, antes de que se me olvide, esta noche voy a ir al cine con Amelia a las 9 menos cuarto, o sea que no puedo ir a recoger a los niños, porque quería ir directamente del trabajo al cine...
- Bueno. Ya los voy a recoger yo y te esperamos en casa.
- Vale, pues hasta luego.
- Adiós. Hasta luego. Un beso.

UNIDAD 14

3 ¿COMPRO O COMPRÓ?

1. Compro un pan buenísimo en esta panadería.
2. Llegó a la estación a las tres de la madrugada.
3. Estudió sin parar toda la noche.
4. Preparó unas lentejas estupendas.
5. Pago con tarjeta de crédito.
6. Toco una hora la guitarra.

UNIDAD 15

3 ¿YO, ÉL, ELLA...?

1.
Vivía en Cádiz, pero a los 18 años me fui a Sevilla para estudiar en la universidad.

2.
Hace unos años vivía en Puerto Rico con su familia, pero decidió irse a vivir a Nueva York.

3.
Antes iba a una pizzería de la Plaza Mayor todos los viernes, pero me aburrí, y hace meses que no voy.

4.
Perdone señora, ¿antiguamente iba a Zaragoza en autobús muy a menudo? Su cara me es conocida...

5.
Sr. Presidente, antes no estaba a favor de las políticas contra el cambio climático. ¿Ha cambiado de opinión?

6.
El anterior estaba en contra de la negociación, pero ahora hay un presidente más dialogante.

UNIDAD 16

2 SÍ, SÍ, PASA

1.
● Perdone, ¿puedo pasar?
○ Sí, sí, pasa.

2.
● Hola. Buenos días.
○ Buenos días, por favor, siéntate.

3.
● Hola. Vengo a hacer una consulta.
○ Sí, dime. ¿De qué se trata?

4.
● Hola. Tengo una cita con Paz Pardo. Soy Lucas Ferri.
○ Muy bien. Espera un segundo.

5.
● ¿Puedo abrir la ventana? Tengo muchísimo calor.
○ Claro. Ábrela, sin problema.

UNIDAD 17

1 EL DÍA IDEAL PARA

1.
Aquí en Tenerife hace un día perfecto para ir a la playa. Hay sol, pero no hace demasiado calor: 24 grados. Hay que aprovechar porque el resto de la semana va a estar nublado.

B.
Hoy en Jaca, hace un día fantástico para acercarse a las estaciones de esquí de Candanchú y Formigal. Esta noche ha nevado abundantemente y tenemos 30 cm de nieve acabada de caer y en perfecto estado. No hace mucho frío, 5 grados, y tampoco hace demasiado viento. En algunos puntos hay un poco de niebla, pero no dificulta la práctica del esquí.

3.
En San Sebastián hoy no hace ni frío ni calor: 15 grados, un tiempo ideal para pasear. Las calles están mojadas porque esta noche ha llovido, pero pueden salir sin paraguas porque hoy va a haber sol hasta el final de la tarde. Destacamos que en Deba esta noche ha habido una fuerte tormenta...

UNIDAD 19

4 CAMBIOS

1.
Siempre ha sido muy puntual, pero últimamente está llegando tarde a todos los sitios.

2.
Es muy poco deportista y no le gusta hacer ejercicio, pero estas últimas semanas está yendo cada día a correr.

3.
Es alguien muy ordenado y muy organizado, pero estos últimos tiempos está perdiendo muchas cosas: las llaves, el pasaporte...

4.
Es bastante serio y no sonríe mucho, pero últimamente siempre está riéndose y contando chistes.

5.
Tiene gustos bastante clásicos en todo: en la ropa, en la música... pero ahora está comprándose ropa más moderna.

6.
Nunca ha tenido novia y no le gusta hablar de asuntos personales, pero creo que está saliendo con alguien.

UNIDAD 20

1 LO OYES, ¿LO OYES? ¡LO OYES!

1. ¿Llegas tarde al trabajo?
2. ¿Te ayudo con las bolsas?
3. Tengo que llevar mi pasaporte.
4. ¡Os han visto juntos por la calle!
5. Ese es el nuevo profesor de ciencias.
6. ¡Cuántos ejercicios hiciste hoy!
7. ¿Qué película hemos visto?
8. Te van a dar el puesto de director.

1. Sonidos, letras y ortografía

1 TE LO DELETREO

A.
1. Iturriaga
2. Marquina
3. Cilleruelos
4. Polichuk

B.
Respuesta libre.

2 UN POQUITO, POR FAVOR

A.
Sonido [k]: tranquila, aspecto, parque, copa, caballo, alquiler, acción, corto, chicos, aquí, mosca, quiosco.

B.
1. poquitín
2. riquísimo
3. kiosquero
4. mosquitera

3 ¿CEREZAS EN ESCOCIA?

A.
1. dedu**cir**
2. efi**caz**
3. direc**ción**
4. bra**zos**
5. cabe**za**
6. Esco**cia**
7. **ce**re**za**
8. cator**ce**
9. ca**zue**la
10. balon**ces**to

B.

SÍLABA QUE EMPIEZA POR C	SÍLABA QUE EMPIEZA POR Z	SÍLABA QUE ACABA EN Z
deducir	brazos	eficaz
dirección	cabeza	
Escocia	cereza	
cereza	cazuela	
catorce		
baloncesto		

C.
1. cerradura
2. carcelero
3. zamorano
4. cazadora

4 GEMA Y GUILLERMO SON PAREJA

A. y B.

[g]COMO EN GUAPO	[χ]COMO EN JOVEN
Guillermo	agenda
gustar	jefe
gracia	Energía
	gerente
gueto	imaginar
Gloria	lejía
guardia	mensaje
grabación	Gema
gobierno	pareja

[g]COMO EN GUAPO	[χ]COMO EN JOVEN
gorra	mujer
	espejo
	juntos

5 ¿VALENCIA O PALENCIA?

1. b
2. a
3. a
4. a
5. b

6 ARROZ CON MARISCO FRESCO

A.
1. perro - R
2. marisco - r
3. padre - r
4. barro - R
5. arroz - R
6. pera - r
7. rubia - R
8. fresco - r
9. Conrado - R
10. barco - r
11. leer- r
12. problema - r

B.
Actividad oral.

7 SABER ESPAÑOL ES ÚTIL

A.
1. **ú**-til
2. ca-mi-**se**-ta
3. mu-si-**cal**
4. a-**llí**
5. fa-mi-**liar**
6. sa-**ber**
7. al-**qui**-lo
8. be-**béis**
9. al-**qui**-ló
10. lim-**piáis**
11. **fies**-ta
12. es-pa-**ñol**
13. **fút**-bol
14. **á**-ti-co
15. sim-**pá**-ti-cas
16. jar-**dín**
17. **mó**-vil
18. e-**xa**-men
19. a-**zul**
20. ja-**bón**
21. a-**zú**-car

B.
GRUPO 1: final en vocal, -n, -s

5.ª sílaba	4.ª sílaba	antepenúltima sílaba	penúltima sílaba	última sílaba
	ca	mi	se	ta
			a	llí
		al	qui	lo
			be	béis
		al	qui	ló
			lim	piáis
			fies	ta
		á	ti	co
	sim	pá	ti	cas
			jar	dín
		e	xa	men
			ja	bón

El gerundio

⏩ El gerundio es una forma no personal del verbo que permite expresar una acción vista en su desarrollo. Si no forma parte de una perífrasis, funciona como un adverbio de modo, es decir, responde a la pregunta **¿cómo?**.

- ● *¿Cómo ha conseguido terminar la carrera de ingeniero en cuatro años?*
- ○ *Pues **estudiando** mucho y **siendo** muy constante.*

⏩ El gerundio es invariable y se forma añadiendo **-ando** a la raíz de los verbos de la primera conjugación (**-ar**) y **-iendo** a la raíz de los verbos de la segunda y la tercera conjugación (**-er/-ir**).

TERMINADOS EN -AR	TERMINADOS EN -ER	TERMINADOS EN -IR
escuchar → escuchando	aprender → aprendiendo	vivir → viviendo

⏩ En algunos verbos se producen cambios de vocal en la raíz.

En los verbos de la tercera conjugación (**-ir**) cuya última vocal de la raíz es una **e**, esta cambia a **i**.

decir	→	diciendo
mentir	→	mintiendo
preferir	→	prefiriendo
reir	→	riendo

Hay un grupo pequeño de verbos con una **o** en la raíz que cambia a **u**.

dormir	→	durmiendo
morir	→	muriendo
poder	→	pudiendo

El verbo **ir** y los verbos acabados en **-er/-ir** cuya raíz termina en vocal tienen la terminación **-yendo**.

traer	→	trayendo
leer	→	leyendo
oír	→	oyendo
ir	→	yendo

2 PRACTICANDO, QUE ES GERUNDIO

Completa estas frases usando la forma adecuada del gerundio de los siguientes verbos.

| subir | ir | pedir | hablar | sonreír | meter |
| comer | dormir | sentirse | escuchar |

1. Ya sé que estás deprimido pero .... tan mal no vas a solucionar nada. ¡Anímate, hombre!

2. .... por las noches y .... tan poco, vas a ponerte enfermo en menos de un mes.

3. ● ¿Cómo has aprendido tan bien español?
   ○ Pues .... a la gente y .... con todo el mundo.

4. ● Estás muy en forma, ¿cómo lo haces?
   ○ .... al gimnasio dos veces por semana y .... escaleras siempre que puedo.

5. ● ¡Esta carne asada está muy tierna! ¿Cómo lo consigues?
   ○ Pues ....la en leche un día antes de asarla.

6. .... a la gente y .... las cosas que necesitas por favor, es más fácil conseguir lo que quieras.

5.ª sílaba	4.ª sílaba	antepenúltima sílaba	penúltima sílaba	última sílaba
			ú	til
		mu	si	cal
		fa	mi	liar
			sa	ber
		es	pa	ñol
			fút	bol
			mó	vil
			a	zul
		a	zú	car

8 BIOGRAFÍA LLEVA ACENTO EN LA I

BIOGRAFÍAS
Entre armas y palabras
Una escritora comprometida con la dura realidad de su país, Colombia.
Laura Restrepo nació en Bogotá en 1950. Estudió Filosofía y Letras, formación que completó con un postgrado en Ciencias Políticas. A los diecisiete años, ya daba clases de literatura en una escuela y, concluidos sus estudios, pasó a enseñar en la Universidad Nacional de Colombia. A finales de los años setenta, vivió en España y luego se marchó a Argentina a reclutar médicos y enfermeras para Nicaragua. En este país pasó cuatro años en los que pudo observar la dureza de la dictadura militar de Somoza. A su regreso a Colombia, comenzó su actividad como periodista en la revista *Semana*.
En 1983 fue nombrada por el presidente Belisario Betancur miembro de la Comisión de Paz, encargada de mediar entre el gobierno y la guerrilla M-19. El fracaso de las negociaciones y las amenazas de muerte forzaron a la escritora a abandonar el país. Tras su periodo de exilio en México, volvió a su país en 1989, cuando el M-19 abandonó sus armas y se convirtió en un partido legal.
Ha publicado los siguientes libros: *Historia de un entusiasmo* (1986), *La isla de la pasión* (1989), *Leopardo al sol* (1993), *Dulce compañía* (1995, premios Sor Juana Inés de la Cruz y Premio de la Crítica Francesa Prix France Cultura), *La novia oscura* (1999), *La multitud errante* (2001), *Olor a rosas invisibles* (2002) y *Delirio* (2004, Premio Alfaguara). Además, es autora del libro para niños *Las vacas comen espaguetis*.

2. Los sustantivos

1 TU TABLA

Respuesta libre.

2 UN RÍO MUY LARGO

1. El Amazonas: **un** río muy larg**o** y muy anch**o**.
2. El Titicaca: **un** lago muy alt**o**.
3. Astigarraga: **un** pueblo pequeñ**o** cercan**o** a San Sebastián.
4. San Telmo: **un** barrio muy bonit**o** de Buenos Aires.
5. El MIM: **un** museo interactiv**o** muy modern**o** de Santiago de Chile.
6. El 6 de diciembre: **un** día festivo en España.
7. Las Bárdenas: **un** paisaje desértic**o** muy bell**o**.
8. La Panamericana: **una** carretera larguísim**a** que atraviesa América.
9. *Los otros*: **una** película muy exitos**a** de Alejandro Amenábar.
10. Caracas: **una** ciudad muy atractiv**a** llen**a** de sorpresas.
11. El dominó: **una** diversión típic**a** de muchos países practicad**a** especialmente por persona mayores.
12. La sequía: **un** problema muy antigu**o** en España.

3 CARÁCTER

A.

la impaciencia	**la** sensibilidad	**el** egoísmo	**la** inteligencia
la sinceridad	**la** estupidez	**la** timidez	**la** rapidez
la alegría	**el** pesimismo	**la** pereza	**la** madurez
la tristeza	**la** simpatía	**la** amabilidad	**la** paciencia

-ismo	**-dad**	**-eza**	**-cia**
el pesimismo	la sinceridad	la tristeza	la impaciencia
el egoísmo	la sensibilidad	la pereza	la inteligencia
	la amabilidad		la paciencia

-ez	**otros en -a**
la estupidez	la alegría
la timidez	la simpatía
la rapidez	
la madurez	

B.
M. **-ismo**   F. **-eza**   F. **-ez**
F. **-dad**   F. **-cia**   F. **-a**

C.
Respuesta libre.

4 ¿UNA VEZ O DOS VECES?

A.
1. manos
2. minas
3. emociones
4. besos
5. bases
6. meses
7. veces
8. ases
9. túneles
10. pelos
11. lavavajillas
12. peces
13. sillones
14. señales
15. tambores

B.

plural con **-s**	plural con **-es**	**-z/ces**	singular=plural
manos	emociones	veces	lavavajillas
minas	meses	peces	
besos	ases		
bases	túneles		
pelos	sillones		
	señales		
	tambores		

5 A VECES, ALGUNAS VECES

Respuesta libre.

3. Los adjetivos

1 ¿GENIAL ES UN ADJETIVO?

A.

bonita	caluroso	genial	inteligente
verde	andaluza	delgado	harta

B.
Respuesta libre.

2 COCHES

1. elegante, lujoso, grande, llamativo — Coche C
2. económico, práctico, pequeñito, barato — Coche A
3. deportivo, descapotable, bonito, caro — Coche B
4. fuerte, resistente — Coche D

3 UNA TARDE IDEAL

1. Para mí una tarde ideal es tomar un buen café y tener una buena conversación con mis amigos.
2. ¡Qué horror! Hoy he tenido muy mal día: en el trabajo, en las clases y con mi novio. Creo que ha sido mala idea levantarme de la cama por la mañana.
3. Suiza es un país pequeño pero muy importante. Tiene una gran industria relojera, grandes empresas de alimentación y un sector financiero muy grande y poderoso.

4 CARTELERA DE CINE

A.
Sugerencia.
1. Las mujeres...   2. REC   3. Las mujeres...

B.

MASCULINO	FEMENINO	UNA ÚNICA TERMINACIÓN: M/F
especializado	gordita	inteligente
buen	latina	pobre
viejo	delgada	normal
terrorífico	anciana	joven
televisivo	extraña	local
		inexplicable
		sorprendente

C.

MASCULINO	FEMENINO
gordito	especializada
latino	buena
delgado	vieja
anciano	terrorífica
extraño	televisiva

5 EL TAJ MAHAL ES...

1. El **Taj Mahal** es un monumento **hindú**.
2. La **caipiriña** es una bebida **brasileña**.
3. **Casablanca** es una ciudad **marroquí**.
4. El **lambrusco** es un vino **italiano**.
5. La **Oktoberfest** es una fiesta **alemana**.
6. El **Louvre** es un museo **francés**.

6 YO SIEMPRE MÁS

1. El invierno aquí es frío, pero los inviernos de mi pueblo son mucho más **fríos**.
2. Tu chaqueta es nueva, pero mis pantalones son mucho más **nuevos**.
3. Tu novio es trabajador, pero mis hermanas son mucho más **trabajadoras**.
4. Este cuarto es acogedor, pero las habitaciones de mi casa son mucho más **acogedoras**.
5. Tú eres dormilona, pero mis primos son mucho más **dormilones**.
6. Este perro es muy feroz, pero las perras de la granja de mis padres son mucho más **feroces**.
7. Tú conoces a un chico israelí, pero yo conozco a muchas chicas **israelíes**.
8. El mar es azul, pero mis ojos son más **azules**.

7 ¿QUÉ ES?

A.
1. e   3. a   5. d
2. c   4. b

B.
2. Son franceses, dulces, suaves y se pueden comer con mermelada.
3. Son redondos, blancos por fuera y se pueden comer fritos, revueltos o cocidos.
4. Son amarillos y ácidos pero muy refrescantes.

C.
Respuesta libre.

4. La comparación

1 OFERTAS DE VACACIONES

A.
Respuesta libre.
B.
1. A   **3.** A   **5.** A
2. B   **4.** B   **6.** B

2 MÁS MUSEOS

A.
Respuesta libre.

B.
Sugerencia.
1. Bianca ha visitado más museos que Lars.
2. Lars ha tenido menos problemas que Bianca.
3. Lars ha practicado más deportes de aventura que Bianca.
4. Bianca ha hecho tantas fotos como Lars.
5. Bianca recomienda menos restaurantes que Lars.
6. Bianca ha traído más recuerdos que Lars.
7. Lars ha salido tantas veces como Bianca.

3 EL ESPAÑOL EN LOS CINCO CONTINENTES

A.
1. En el mundo, el español se habla menos que el hindi o el chino pero más que el árabe.
2. En el mundo, el inglés se habla más que el hindi pero menos que el chino.
3. El árabe se habla aproximadamente tanto como el ruso pero mucho menos que el inglés.
4. Sobre el español, podemos decir que los italianos lo estudian menos que los franceses.
5. En América y en Europa, el español se estudia más que en África, Asia y Oceanía.
6. En Japón, el español se estudia más que en Nueva Zelanda.
7. En Costa de Marfil, el español se estudia más que en Marruecos.
8. En Internet, el español se usa más que el alemán, aunque menos que el inglés o el chino.

B.
Sugerencia.
1. En el mundo, el hindi se habla más que el español pero menos que el inglés.
2. En el mundo, el ruso se habla tanto como el árabe.
3. El español, los franceses lo estudian más que los brasileños.
4. En África se estudia más español que en Asia.
5. En Oceanía se estudia menos español que en Europa.
6. En Marruecos se estudia tanto español como en Japón.
7. Para navegar en internet, el japonés se usa menos que el español.
8. Para navegar en internet, el chino se usa más que el español pero menos que el inglés.

4 JUANA Y SUS HERMANAS

A.
Ana

B.
Sugerencia.
Nombre: Adriana.
Es mayor que Juana.
Es más alta que ella y está más gordita que ella.
Tiene el pelo tan liso como Juana, pero más largo y oscuro que ella.
Lleva ropa más formal que ella.

Nombre: Mariana.
Es mayor que Juana.
Es más baja que ella y está tan delgada como ella.
Tiene el pelo más corto que Juana, y más claro y rizado.
Lleva ropa más formal que ella.

5. Los artículos

1 EN EL ZOO

1.
● Es curioso: esta es una ciudad muy pequeña, pero tiene un zoo muy grande.
○ Y parece muy moderno. Además tiene un área especial de insectos super interesante.

2.
● También hay varios tipos de osos: ahí hay un oso gris y, en el otro lado, unos osos polares.
○ Y mira: ahí hay un águila.

3.
● Tengo mucha sed, necesito una fuente.
○ He visto una en la entrada, ¿vamos?
● Uy, ¡qué lejos! Entonces mejor compramos una botella de agua.

4.
● Mira, he hecho unas fotos buenísimas de los elefantes.
○ A ver... ¡es verdad! ¿Esta cámara hace vídeos? Podemos hacer uno.

2 LOS NUEVOS O LOS VIEJOS

1. ¿Qué pan prefieres? ¿el blanco o el integral?
2. ¿Qué prefieres? ¿el té o el café?
3. ¿Qué eliges? ¿la libertad o el amor?
4. ¿Qué te gusta más? ¿las casas o los pisos?
5. ¿Qué usas más? ¿el móvil o el teléfono fijo?
6. ¿Qué te gusta más? ¿las rosas o los tulipanes?
7. Para moverte: ¿el metro o el bus?
8. Para viajar: ¿el tren o el avión?

3 EN CASA

1.
● Celia, ¿a qué hora sales hoy del trabajo? ¿Puedes ir tú a buscar a los niños al cole?
○ Vale, pero ya sabes que el coche está en el garaje. Tomaremos el tren de las seis.

2.
● Aitor, lávate las manos antes de salir de casa.

3.
● Idoia, no te olvides la mochila y mete el libro de ciencias.

4.
● Mamá, ¿qué pantalones me pongo? ¿Los rojos o los verdes?
○ Mejor ponte la falda nueva, está limpia.

5.
● Aitor: tómate ya el zumo de naranja. La vitamina C es muy buena para no ponerse enfermo.
○ No me gusta el zumo. Hoy solo me bebo la leche, ¿vale?

6.
● Celia, me duele muchísimo la cabeza. ¿Dónde están las aspirinas?
○ En el lugar de siempre: en el armario del cuarto de baño.

7.
● ¡Marcos! ¿Dónde están los niños? ¿Están viendo la tele otra vez?
○ No. Están en el jardín, jugando con el perro.

4 ¡TOMA GALLETA! (1)

1. una	**8.** -	**15.** la
2. una	**9.** -	**16.** -
3. la	**10.** -	**17.** -
4. Las	**11.** los	**18.** -
5. -	**12.** el	**19.** -
6. -	**13.** una	**20.** -
7. -	**14.** (los) (opcional)	**21.** -

5 ¡TOMA GALLETA! (2)

A.

1. 1. una	**7.** 7. una	**13.** 13. el
2. 2. -	**8.** 8. la	**14.** 14. una
3. 3. -	**9.** 9. la	**15.** 15. la
4. 4. -	**10.** 10. -	**16.** 16. la
5. 5. -	**11.** 11. -	
6. 6. una	**12.** 12. Las	

B.
Respuesta libre.

6 ¿QUIÉN ES RUIZ ZAFÓN?

a. ¿A ti cuál te gusta más?
3. El rojo, el otro es feísimo.

b. He visto a **la** madre de Pedro esta mañana.
5. ¿Sí? ¿Y qué te ha dicho?

c. ¿Has traído bocadillos?
4. Sí, tengo **uno** de chorizo y **uno** de queso. ¿Cuál prefieres?

d. ¿Te gustan **los** viajes organizados?
2. No, me parecen aburridísimos.

e. ¿Quién es esta chica?
6. Una amiga mía que vive en Valencia.

f. ¿Dónde nos encontramos?
10. En **el** bar que está al lado del cine.

g. ¿A qué se dedica Rosa?
7. Es profesora, trabaja en una escuela de idiomas.

h. ¿Quién es Ruiz Zafón?
9. El autor de la novela que estoy leyendo.

i. ¿Tienes coche?
8. Sí, **un** Volkswagen Polo.

j. ¿Me trae **la** cuenta por favor?
1. Sí, ahora mismo.

6. Los demostrativos

1 GEMA Y PAZ

1. Paz lleva **un jersey**.
2. Gema lleva **una blusa**.
3. La carne está en el plato de **Paz**.
4. Las patatas están en el plato de **Paz**.
5. El libro lo tiene **Gema**.

6. Paz está tocando el dinero.

7. El café está al lado de **Paz**.

2 MI ESPACIO O TU ESPACIO

1.
● Mira, **esta** es mi compañera de piso, Magda, y **este** es un compañero de la facultad, Juan Jorge.
○ Hola, ¿qué tal?

2.
● ¿Ves a **esa** chica que está a la derecha de mi padre?
○ ¿La que está hablando con Javier?
● Exacto. Pues **esa** es mi hermana.
○ ¿Y **aquella** que está al otro lado de Javier?

3.
● Señoras y señores: **esta** pieza que tengo en mis manos es una obra de arte única.

4.
● Tere, ¿por qué llevas **esas** gafas? No te quedan bien.
○ ¿Tú crees? Pues a mí **estas** gafas me encantan.

5.
● Oye, ¿qué quiere decir **esa** señal?
○ Pues que en **este** museo no se pueden hacer fotos.

3 ¿ESTA O ESTÁ?

A.
Respuesta libre.

B.
1. b   **2.** a   **3.** b

4 ¿CÓMO SE LLAMA ESTO?

1.
● ¿Cómo se llama en español **eso** que tienes en la mano?
○ ¿**Esto**? Se llama grifo.

2.
● Los Martínez se van a vivir a Zaragoza.
○ Sí, **eso** me han dicho.

3.
● Oye, acabo de llegar a casa y he visto una cosa muy rara en la esquina de la calle. ¿Tú sabes qué es **eso** que han colocado ahí?

4.
● Me han dicho que te vas mañana.
○ ¿Ah, sí? ¿Y quién te ha dicho **eso**?

5.
● ¿Recuerdas **aquello** que te dije en 1999?
○ Mmm, pues no, la verdad.

6.
● ¿Qué es que **eso** llevas puesto? Pareces un extraterrestre.
○ **Esto** es un abrigo especial para la nieve y está muy de moda este año.

7.
● **Este** año estoy estudiando helicicultura.
○ ¿Y qué es **eso**?

8.
● Hoy no puedo ir a clase.
○ ¿Y **eso** por qué?

9.
● **Esto** es muy aburrido, ¿nos vamos?
○ Sí, **esta** es la fiesta menos divertida del siglo.

5 PASADO, PRESENTE Y FUTURO

1. estas	**4.** Esta	**7.** aquella
2. ese	**5.** aquellos/esos	**8.** Este
3. esa	**6.** esta	**9.** ese

7. Los posesivos

1 APRENDA ESPAÑOL CON NOSOTROS

ESPAÑOL EN LÍNEA
Aprende español sin salir de **tu** casa. Solamente tienes que utilizar **tu** ordenador y conectarte por internet a **nuestra** página web: www.españolenlinea.dif. Con Español en línea, tienes **tu** propio tutor, que te orienta, corrige **tus** ejercicios y habla contigo por videoconferencia siempre que lo necesitas. ¡Ahora puedes hacerlo! ¡Esta es **tu** oportunidad para aprender español sin estrés!

ESCUELA MODERNA
Viaje a Guatemala y aprenda español en Antigua.
Clases individuales para todos los niveles.
¡Haga realidad **su** sueño!
Disfrute de **nuestra** famosa hospitalidad.
Aquí **su** profesor es también **su** anfitrión: usted se aloja en **su** casa y aprende español rápidamente y sin esfuerzo.

ACADEMIA MEDITERRÁNEA
Aprende español con nosotros y conoce también **nuestra** cultura: además de clases de español, te ofrecemos un programa variado de actividades (flamenco, cursos de cocina, de cine, etc.). **Nuestra** escuela está situada en el

centro de la ciudad. **Nuestros** profesores son todos nativos y excelentes profesionales. Visita **nuestra** página web: www.academia-mediterranea.med.

2 QUÉ LIO DE MUDANZA

1. Pablo: ¿De quién son estos libros?
2. Paula: **Míos**
3. Pablo: ¿Y estas revistas de arquitectura?
4. Paula: **Mías** también. Oye, ¿y este jarrón es de Julián o **nuestro**?
5. Pablo: **Nuestro**, creo.
6. Pablo: ¿La frutera es **tuya**?
7. Paula: Sí, claro que es **mía**. ¿No te acuerdas? Me la regaló aquel compañero **mío**.
8. Pablo: Ah sí, es verdad.
9. Julián: No os olvidéis de las sillas de la terraza, también son **vuestras**.
10. Pablo: ¿Seguro que son **nuestras**?
11. Julián: Claro. La mesa es **mía**, pero las sillas, **vuestras**.
12. Pablo: ¿En el garaje hay alguna cosa **nuestra**?
13. Paula: Mmm, sí, hay algunas cosas **mías** y unos esquís **suyos**.

3 ¿SU MARIDO O UN MARIDO SUYO?

1. a   4. a   7. a
2. b   5. b   8. b
3. b   6. a

4 ¿DEL CHICO O DE LA CHICA?

1. del chico   3. de la chica
2. de la chica   4. del chico

8. Los cuantificadores

1 ¿TIENE O NO TIENE?

1. hay   3. no tiene
2. no se necesitan   4. no conoce

2 ES UN ENCANTO

1. a   7. a
2. b   8. b
3. b   9. a
4. a   10. b
5. a   11. b
6. b   12. a

3 ¿NADA O NADA DE?

A.

1. algo de fiebre   6. bastantes tomates
2. demasiadas olas   7. mucho dinero
3. nada de dinero   8. nada de interés
4. ninguna canción   9. todo mi zumo
5. mucho calor   10. bastantes hoteles

B.

1.
● Álex es un poco caradura. Se ha bebido **todo mi zumo** y no me ha dejado **nada de dinero** para comprar más.

2.
● El mar está muy agitado, hay **demasiadas olas** para bañarse.
○ Sí, es una pena, porque hace **mucho calor**.

3.
● ¿Hay **bastantes tomates** para hacer el gazpacho o te traigo más?
○ No, gracias. Hay suficientes.

4.
● No recuerdo **ninguna canción** de Julio Iglesias. ¿Tú recuerdas alguna?

5.
● Mi tío Alfredo ganó la lotería. Ahora tiene **mucho dinero** y es el propietario de **bastantes hoteles** y restaurantes en la costa.

6.
● ¿Va a venir Rosa a la conferencia?
○ No lo creo. Me parece que no tiene **nada de interés** en el tema.

7.
● No me encuentro bien, tengo **algo de fiebre**, creo.

4 MI NUEVA CIUDAD

A.
1. (1) poco, (2) muy, (3) mucho
2. bastante
3. (1) muy, (2) bastante
4. (1) demasiado, (2) muy, (3) mucho
5. (1) un poco, (2) demasiado

B.
Respuesta libre.

5 ¿ES ALGO O ALGUIEN?

1.
● ¿Alguien quiere beber **algo**?
○ Yo quiero **algo** fresco, ¿qué tienes?

2.
● **¿Alguien** tiene un bolígrafo?
○ Un boli no, pero creo que tengo **algo** para escribir.

3.
● Este helado tiene **algo** extraño.
○ Mmm, sí, alguien le ha echado **algo** salado.

4.
● A Noelia le gusta **alguien** de su clase, un chico nuevo.
○ Ah ¿sí? Pues no me ha dicho **nada**.

5.
● No me voy a comprar **nada** aquí, es todo muy feo.
○ Espera, aquí hay **algo** que te va a gustar.

6.
● ¿Has traído **algo** para comer?
○ No, **nada**. Luego bajo y compro **algo**.

7.
● ¡**Alguien** ha dormido en mi cama! Está deshecha.
○ Es imposible, aquí no ha entrado **nadie**.

8.
● ¿**Alguien** sabe dónde está Pedro?
○ No, hoy no lo ha visto **nadie**.

9. Los pronombres personales

1 O TÚ O YO

a. ¿Vienen Chelo y Martín?
No. **Ella** tiene que cuidar a su hermana y **él** está enfermo.
b. ¡Qué horror! (**Tú**) has estado toda la cena con esa mancha en la camisa y no te has dado cuenta.
c. **Vosotros** podéis quedaros en este sitio tan aburrido, pero **yo** me voy.
d. Esta mañana – ha llovido pero ahora – hace mucho sol.
e. (**Yo**) siempre dejo una llave de mi casa debajo de la alfombrilla porque las pierdo muy a menudo.
f. (**Tú**) eres su sobrina favorita.
g. ¿**Ustedes** son los señores Gutiérrez? ¿Cómo están? **Nosotros** somos Marcela y Paco, sus nuevos vecinos.
h. Esther, Carmen y Jesús, van a alquilar un piso juntos. (**Ellos**) han encontrado uno muy bonito.

2 CARADURA

A.
1. Cuando salgo a cenar con mis amigos a veces digo que me he olvidado la cartera y siempre hay alguien que paga por mí, soy un poco **caradura**.
2. Siempre discuten entre ellos para decidir quién tiene razón. Son dos **cabezotas**.
3. Tengo un montón de amigos. Me encanta salir y hacer cosas con ellos. La verdad es que soy una persona bastante **sociable**.

B.
Sugerencia.
1. ¿Mis compañeros de trabajo? No me fío de **ellos**. Sospecho que todos están en contra **de mí**. Soy algo **desconfiado**, es verdad.
2. Cuando tengo problemas, Zoila siempre tiene un buen consejo para **mí** o un momento para estar **conmigo**. Si necesito algo, sé que puedo contar con **ella**. Es la persona más **paciente** que conozco.
3. Zacarías es muy **envidioso**. No aguanta a su hermano porque siempre es el centro de atención. Cree que todo el mundo lo mira a **él**, habla sobre **él** y, lo que es peor, todas las chicas quieren salir con **él**.
4. Creo que, como amigo, soy bastante **simpático**. Soy muy alegre y mis amigos se ríen mucho **conmigo**. Y también me gusta cuando me hacen bromas a **mí**.
5. ● Tengo que decirte una cosa. Siempre pienso en **ti** incluso por las noches sueño **contigo**. ¡Es que no puedo vivir sin **ti**! Eres la luz de mi vida...
○ ¡Oh! ¡Qué **romántico** eres!
6. ● Me gusta mucho Zoraida, pero cuando viene hacia **mí** y empieza a hablar **conmigo** ¡no sé qué decirle! Soy demasiado **tímido**.
7. ● Todos compramos comida y la dejamos en el armario común, pero Zulema dice que sus cosas son solo para **ella** y que no va a compartirlas con **nosotros**.
○ ¡Qué **egoísta**!
8. ● Siempre que voy a un lugar nuevo todos se fijan en **mí** y quieren hablar **conmigo**. ¡Es que soy super especial!
○ ¡Dios mío! ¡Eres un **creído**!

C.
Respuesta libre.

3 CADA COSA EN UN SITIO

La leche la ha comprado en el supermercado.
Los bistecs de ternera los ha comprado en la carnicería.
La bombilla la ha comprado en la ferretería.
El vino lo ha comprado en la bodega.
Las aspirinas las ha comprado en la farmacia.
La comida para el gato la ha comprado en la tienda de animales.
Las flores las ha comprado en la floristería.
Las lentes de contacto las ha comprado en la óptica.

El correo electrónico lo ha consultado en el cibercafé.
La chaqueta la ha llevado a lavar a la tintorería.
Los 100€ los ha sacado de un cajero automático.
La denuncia la ha puesto en la comisaría de policía.

4 ¿DE QUÉ HABLAN?

A.
1. a   **3.** b   **5.** b
2. b   **4.** c

5 SE LO REGALAMOS A...

A.
1. Abel les ha regalado un cuadro a Paco y Lucía.
2. Javier y Marta le han regalado una cámara a Paco.
3. Javier y Marta le han regalado unos zapatos a Lucía.
4. Carla les ha regalado una cafetera a Paco y Lucía.
5. Daniel les ha regalado una postal a Paco y Lucía.
6. Luisa le ha regalado una corbata a Paco.
7. Luisa le ha regalado un perfume a Lucía.

B.
● Qué bien huele ese perfume que llevas, Lucía, ¿es nuevo?
○ Sí, **me lo** ha regalado Luisa estas Navidades, ¿no te acuerdas?
● Sí, sí, claro que me acuerdo. Mmm, también está muy bien el cuadro que **me** ha regalado a mí.
○ ¿El cuadro? El cuadro no **te lo** ha regalado Luisa; **nos lo** ha regalado Abel a los dos.
● Je je, sí es verdad, ¡qué cabeza tengo! ¿Qué **me** ha regalado Luisa, que no me acuerdo?
○ Una corbata preciosa, y además **te la** ha comprado en Italia, en su último viaje.
● Ah sí, sí. Muy bonita. Lo que no entiendo es por qué Javier y Marta **me** han comprado esos zapatos tan pequeños, parecen de mujer...
○ Dios mío, Paco, los zapatos **me los** han regalado a mí. A ti **te** han traído una cámara de fotos.
● Uy sí, es verdad. Je je... Oye, esa cafetera tan aparatosa, ¿quién **nos la** ha regalado?
○ Carla, **nos la** ha regalado nuestra nieta Carla. Y no la critiques, por favor. Seguro que es carísima.

6 SEGURO QUE SE HA ESCONDIDO

1. b   **4.** d   **7.** h
2. a   **5.** f   **8.** g
3. c   **6.** e

MUNDO PLURILINGÜE

Respuesta libre.

10. Las preposiciones

1 GEOGRAFÍA HISPANA

A.
1. Colombia
2. América
3. barco/ avión
4. la Polinesia
5. las islas Canarias
6. del Golfo de México/ el Atlántico norte
7. Estados Unidos y Guatemala
8. el Lago Argentino

B.
Respuesta libre.

2 ¿QUÉ ES QUÉ?

1. a   **5.** por   **9.** con
2. sin   **6.** en   **10.** de
3. a   **7.** a
4. con   **8.** por

3 DESDE IQUIQUE

Te escribo **desde** Iquique, llegamos hace una semana y nos alojamos **en** un hostal muy sencillo, pero cómodo. Este es un sitio ideal **para** volar en parapente y estamos haciendo un curso. **Por** las mañanas nos levantamos temprano para volar y **por** las tardes vamos **a** la playa. Me encanta volar y no es tan difícil como yo pensaba. Mañana vamos a ir **al** desierto de Atacama **con** unos amigos chilenos. Pensamos ir **hasta** San Pedro de Atacama **en** coche y dar un paseo **por** la ciudad y pasar la noche allí. Al día siguiente, vamos a hacer una ruta **en** bicicleta **para** ver los géiseres del Tatio, dicen que es un espectáculo impresionante, pero es necesario estar allí muy pronto. He tenido que comprarme un jersey **de** lana porque, aunque aquí es verano, **en** el desierto **por** la mañana las temperaturas son muy bajas y no puedes ir **sin** ropa de abrigo. Bueno, te llamo en cuanto vuelva a Madrid y quedamos. ¡Un beso!

4 DESAPARICIÓN EN EL ESTUDIO DEL ARTISTA

El estudio está muy desordenado. Lo primero que observo es que hay una nota clavada **detrás** de una silla. **Encima/ Detrás** de la otra silla alguien ha dejado una chaqueta y una corbata. Hay papeles por todos los sitios: **dentro** de la papelera, **encima** de todos los escritorios, **debajo** del cenicero del fondo...
Encima d(el)/**en** el escritorio del fondo hay pinturas y pinceles tirados **por/en** el suelo. También hay varios ceniceros: uno **encima d**(el)/**en** el escritorio de la izquierda y otro **encima d**(el)/**en** el escritorio del fondo.
Hay un teléfono móvil **encima d**(el)/**en** el escritorio de

la izquierda y una lámpara encendida **encima d**(el)/**en** el escritorio de la derecha.
Encima del ordenador de la izquierda hay unas gafas, seguramente son las del artista. **Delante d**el ordenador del fondo hay una taza de té; y **al lado/a la derecha** de ese mismo ordenador, un bote con pinturas y pinceles...

5 ¿DÓNDE PONGO ESTO?

1. en medio de la sala
2. al lado de la puerta de la terraza
3. en la sala, debajo de las ventanas
4. en el cuarto pequeño
5. en la sala, delante de las ventanas
6. en la cocina, al lado de la ventana

11. Los adverbios

1 ALEGRÍA, ALEGRÍA

1.

SUSTANTIVO	VERBO	ADJETIVO	ADVERBIO
alegría	alegrarse	alegre	alegremente

2.

SUSTANTIVO	VERBO	ADJETIVO	ADVERBIO
suavidad	suavizar	suave	suavemente

3.

SUSTANTIVO	VERBO	ADJETIVO	ADVERBIO
cuidado	cuidar	cuidadoso/a	cuidadosamente

4.

SUSTANTIVO	VERBO	ADJETIVO	ADVERBIO
felicidad	felicitar	feliz	felizmente

5.

SUSTANTIVO	VERBO	ADJETIVO	ADVERBIO
dolor	doler	doloroso/a	dolorosamente

6.

SUSTANTIVO	VERBO	ADJETIVO	ADVERBIO
corrección	corregir	correcto/a	correctamente

7.

SUSTANTIVO	VERBO	ADJETIVO	ADVERBIO
amor	amar	amable	amablemente

8.

SUSTANTIVO	VERBO	ADJETIVO	ADVERBIO
facilidad	facilitar	fácil	fácilmente

9.

SUSTANTIVO	VERBO	ADJETIVO	ADVERBIO
atención	atender	atento/a	atentamente

MUNDO PLURILINGÜE

Respuesta libre.

2 CON CIERTA IRONÍA

1. aproximadamente
2. claramente
3. adecuadamente
4. apasionadamente
5. elegantemente
6. irónicamente
7. sinceramente y directamente
8. espontáneamente

3 EN LA CARRETERA

Dirección General de Tráfico: prudentemente
www.todo-apartamentos.his: totalmente
Crema Dermalisa: doblemente
PEAC-Cursos a distancia: tranquilamente
RESFRIADOL: atentamente, urgentemente
MICROELEMENTS: directamente
Supermercados AHORROPLUS: inteligentemente, barato

12. El presente de indicativo

1 ¡HOLA, MARTA!

A.
¡Hola, Marta! ¿Cómo estás?
Yo **sigo** en Barcelona...¡y **estoy** disfrutando mucho de mi estancia! El curso de español me **gusta** mucho y mis compañeros **son** muy simpáticos. **Tengo** clase por la mañana: **empiezo** a las nueve y **termino** a la una. La escuela **organiza** a veces actividades después de comer, pero yo **prefiero** tomarme la tarde libre para descansar o pasear por la ciudad. Normalmente **como** un bocadillo en la escuela y después **voy** a visitar algún lugar interesante. He visto ya la Sagrada Familia y también la catedral, y mañana **voy** al Parque Güell. Por las noches **suelo** salir con mis compañeros de clase, **vamos** a tomar algo en una terraza o a bailar. Ahora **conozco** muchos locales y realmente me **encanta** la vida nocturna de Barcelona. Lo que no me **gusta** tanto **es** la pensión en la que **estoy**, pero **continúo** allí... ahora ya no **merece** la pena buscar otro sitio para el poco tiempo que me **queda** de vacaciones. **Tengo** que acostarme ya porque **es** bastante tarde y mañana **pienso** levantarme pronto para ir a correr un poco. ¡No **hago** nada de deporte últimamente!
Besos y hasta pronto,
Sabine

B.

verbos regulares	e>ie	o>ue / u>ue
termino (terminar)	empiezo (empezar)	suelo (soler)
organiza (organizar)	prefiero (preferir)	
como (comer)	pienso (pensar)	
continúo (continuar)		

gusta (gustar)
encanta (encantar)
queda (quedar)

e>i   **+g (1.ª persona)**   **+zc (1.ª persona)**
sigo (seguir)   tengo (tener)   conozco (conocer)
Hago (hacer)   merece (merecer)

verbos con irregularidades propias
estoy (estar)
son (ser)
voy (ir)
vamos (ir)
es (ser)

C.
¡Hola, Marta! ¿Cómo estás?
Nosotras **seguimos** en Barcelona...¡y **estamos** disfrutando mucho de nuestra estancia! El curso de español **nos gusta** mucho y nuestros compañeros son muy simpáticos. **Tenemos** clase por la mañana: **empezamos** a las nueve y **terminamos** a la una. La escuela organiza a veces actividades después de comer, pero nosotras **preferimos** tomarnos la tarde libre para descansar o pasear por la ciudad. Normalmente **comemos** un bocadillo en la escuela y después **vamos** a visitar algún lugar interesante. Hemos visto ya la Sagrada Familia y también la catedral, y mañana **vamos** al Parque Güell. Por las noches **solemos** salir con nuestros compañeros de clase, **vamos** a tomar algo en una terraza o a bailar. Ahora **conocemos** muchos locales y realmente **nos encanta** la vida nocturna de Barcelona. Lo que no **nos gusta** tanto es la pensión en la que **estamos**, pero **continuamos** allí... ahora ya no merece la pena buscar otro sitio para el poco tiempo que **nos queda** de vacaciones. **Tenemos** que acostarnos ya porque es bastante tarde y mañana **pensamos** levantarnos pronto para ir a correr un poco. ¡No **hacemos** nada de deporte últimamente!
Besos y hasta pronto,
Sabine y Martina

2 PROBLEMAS CON EL ESPAÑOL

A.
«A mí lo que más me **cuesta** es acordarme de las formas de los verbos. **Conozco** la gramática y no **tengo** problemas cuando escribo pero, cuando hablo, siempre cometo errores en la conjugación de los verbos. Me da mucha rabia».

«A mí me **gusta** mucho leer textos en clase, especialmente artículos periodísticos sobre temas de actualidad. Yo **creo** que es muy importante leer para aprender vocabulario. Pero mi problema es que, cuando hablo, a menudo no **puedo** recordar las palabras que necesito y **me pongo** nervioso».

«Yo tengo a veces problemas cuando la gente **habla** muy rápido, y no **entiendo** nada. Intento concentrarme en lo que

dicen, pero es muy difícil, por eso me **encanta** escuchar CD en español: para entrenar el oído».

«Yo **vivo** en España desde hace casi diez años. Así que, como he aprendido el español en la calle, lo que me **resulta** más fácil es entender a la gente, pero a veces **traduzco** literalmente frases de mi idioma al español y, claro, la gente no **entiende** lo que **quiero** decir. Tampoco domino la gramática y por eso, aunque **puedo** hablar con mucha fluidez, todavía cometo errores».

B.
Respuesta libre.

3 JUANES

A.
Las acciones contadas en presente no son más recientes que las contadas en pasado. Uno de los usos del Presente de Indicativo es, con valor de pasado, para relatar hechos históricos y biográficos. Es solo una cuestión de estilo o de punto de vista.

B.
Juan Esteban **nace** el 9 de agosto de 1972 en Medellín (Colombia) y **pasa** su niñez en Carolina del Príncipe (departamento de Antioquía). Siendo muy niño, su padre y sus cinco hermanos le **enseñan** a tocar la guitarra, instrumento que lo ha acompañado durante toda su vida. **Comienza** su carrera artística a la edad de 15 años, como miembro de la banda de rock Ekhymosis, con la que **graba** 5 álbumes. Después de interpretar la música de una campaña publicitaria para una marca de zapatos, **recibe** propuestas de varias compañías discográficas para cambiar de estilo –entonces hacía *heavy*–. Juanes **decide** empezar su carrera como solista con un EP publicado en diciembre de 1999. En 2000 firma un contrato con el productor Gustavo Santaolalla y lanza su primer disco, titulado *Fíjate bien*. Este disco **es** nominado a 7 premios Grammy, de los que **gana** tres. Durante la promoción de este álbum, el artista compone su segundo LP de estudio como solista: *Un día normal*, que sale a la luz en 2002. Además del éxito de la canción pacifista «A Dios le pido», destacan en él canciones como «Mala gente», «Es por ti» y el dúo junto a la canadiense Nelly Furtado titulado «Fotografía». En octubre del mismo año, la cadena MTV Latino le otorga el premio al mejor artista del año. Con *Un día normal*, Juanes **es** nuevamente nominado a los Grammy, y esta vez se **lleva** 5.
En 2003 decide lanzar su primer álbum DVD titulado *El diario de Juanes*. En septiembre de 2004, **reaparece** con el álbum titulado *Mi sangre*, que **tiene** un gran éxito en todo el mundo. De él destacan canciones como «La camisa negra» o «Volverte a ver», entre otras, y con él gana 4 Grammy más. Durante 2005 y 2006 Juanes lleva su música por toda Latinoamerica. En agosto de ese año **anuncia** su retiro temporal y durante un tiempo **se dedica** a trabajar en causas sociales, descansar con su familia y crear.

En octubre de 2007 Juanes **lanza** el álbum *La vida... es un ratico*. Su primer single –el tema «Me enamora»–, que **tiene** una acogida muy favorable en Latinoamérica, España y Estados Unidos, se **coloca** en el primer lugar de las listas de España, Argentina, Uruguay y muchos otros países.

13. El pretérito perfecto

1 EL CORREO DE MICHAEL

A.
Hola, Clara:
¿Cómo estás? No he **podido** escribirte hasta hoy porque este mes he **estado** muy ocupado. He **tenido** tres exámenes y he **hecho** cuatro exposiciones orales en clase, ¡uf! Menos mal que ya ha **terminado** el curso y ahora estoy más tranquilo.
¿Sabes qué me ha **pasado** esta mañana? He **ido** a la biblioteca a devolver unos libros que tenía desde hace meses y allí me he **encontrado** con Carolina. ¿Te acuerdas de ella? La chica colombiana que conocimos en el tren el año pasado. Me ha **dicho** que está haciendo un doctorado aquí, hemos **hablado** mucho rato y, al final, hemos **decidido** hacer un intercambio español-alemán una vez por semana. Me ha **dado** muchos saludos para ti. Esa es la buena noticia de la semana, porque últimamente todo me ha **ido** mal: he **perdido** las llaves del coche (¡no sé dónde las he **puesto**!). Y, además, se me han **roto** las gafas, o sea que tengo que llevar las lentillas todo el día.
¿Y cómo estás tú? ¿Ha **vuelto** ya Óscar de su viaje a Perú? ¿Has **acabado** los exámenes?
Escríbeme, espero tus noticias. Muchos besos,
Michael

2 LA AGENDA DE SARA

Ha hecho ya:
9:15 Cita con el Dr. Martín.
14:00 Comida con Ramiro en el bar Amadeus.
Reservar vuelo a Londres.
Llamar a mamá.
Comprar un regalo para mamá.

3 HA ESTADO EN...

A.
- Matilde ha estado de vacaciones en/ha ido a Mongolia.
- Matilde Martínez ha vuelto a España después de ganar/ha ganado la Palma de Oro en Cannes.
- Obama ha recibido a Matilde Martínez.
- La astronauta española Matilde Martínez ha vuelto a salir/ha salido varias veces en el programa de TV Intrépidos.
- Martínez ha ganado el campeonato del mundo de póquer.

- Matilde Martínez ha regresado de su/ha hecho una expedición al Himalaya.

B.
Respuesta libre.

4 TODAVÍA NO HE COMPRADO...

1. todavía no   **3.** no   **5.** todavía no
2. nunca   **4.** todavía no   **6.** no

5 YA HAN COMPRADO...

- Sara y Alberto ya han llegado al aeropuerto pero todavía no han facturado las maletas.
- Ya han pasado el control de seguridad pero todavía no han embarcado.
- Sara ya se ha duchado pero todavía no se ha vestido.
- Sara y Alberto ya han comprado las entradas pero todavía no han entrado al cine.
- Alberto ya ha preparado el café pero todavía no se lo ha tomado.

14. El pretérito indefinido

1 LAS FORMAS DEL INDEFINIDO

A.
1. quedaron   **7.** descongelaste
2. bebiste   **8.** cumplí
3. decidimos   **9.** se acordó
4. se cayó   **10.** eché
5. recomendamos   **11.** aparecisteis
6. mordisteis   **12.** protestó

B.
1. aparecisteis   **5.** eché
2. protestó   **6.** se cayó
3. quedaron   **7.** descongelaste
4. se acordó   **8.** cumplí

2 AYER LLEGASTE MUY TARDE

1. llegaste/pasó/perdí/se averió/salió/tomé
2. comisteis/nos perdimos/preguntamos/conseguimos/buscamos
3. aprendieron/empecé/pasé/viajé/conocí/ayudó
4. regalaste/vi/pensé/entré/compré/gustó
5. recibí/acabé/leí/rompí/tiré
6. viajaron/quedamos/charlamos/enseñaron/contaron/encantó

3 ¿COMPRO O COMPRÓ?

1. Compro un pan buenísimo en esta panadería.
Por eso...
2. Llegó a la estación a las tres de la madrugada.
Tomó un...
3. Estudió sin parar toda la noche.
Así que...
4. Preparó unas lentejas estupendas.
Casi todos...
5. Pago con tarjeta de crédito.
Así no tengo...
6. Toco una hora la guitarra.
Luego voy...

4 CRÍTICAS

A.

1. se despidió/dijo
2. se murió/llamó
3. pidió/devolvió
4. se rió
5. se comió/repitió/se sintió
6. durmió/siguió

B.

1. Son unos maleducados. Ayer **se fueron** de la fiesta y no **se despidieron** de los dueños de la casa...¡Y a mí tampoco **me dijeron** nada!
2. No son nada sensibles. **Se murió** el canario preferido de su tía y no la **llamaron** por teléfono.
3. Son unos caraduras. Me **pidieron** el coche y dos días después me lo **devolvieron** con el depósito completamente vacío.
4. No tienen nada de sentido del humor. El otro día **fuimos** a ver una película divertidísima y no **se rieron** ni una sola vez.
5. Son unos glotones. Ayer en la cena **se comieron** un plato enorme de arroz ¡y luego repitieron dos veces! Claro, después en casa **se sintieron** fatal.
6. Son unos dormilones y unos vagos. El sábado **durmieron** más de diez horas, **se despertaron** a las once, **desayunaron** y luego **siguieron** durmiendo.

5 LA FIESTA DE CHARO Y PILAR

1. estuvo
2. vino
3. hicimos
4. trajeron
5. Hubo
6. puso
7. estuvieron/estuvimos
8. quiso
9. dijo
10. supo
11. tuvimos
12. propuso
13. dijeron

6 IR, DAR Y SER

1. fue
2. fuimos
3. dimos
4. fue

5. fuimos
6. dio
7. fue
8. fuimos
9. dio
10. fue
11. dio
12. dio

15. El pretérito imperfecto

1 ¿"TENÍA" ES UN IMPERFECTO?

A.

compraban	sabías	guiaba
salías	pasabais	lavábamos
elegía	decían	odiaban

B.
Sugerencia.
Yo antes, cuando era pequeño,...
...**guiaba** a mi abuelo en su paseo diario por el parque.
...**no elegía** mi propia ropa.
Enrique antes, cuando era pequeño...
...**guiaba** a sus amigos en todas las excursiones.
...**elegía** sus propios tebeos.

La primera y la tercera persona del singular coinciden.

2 MUY BIEN COMUNICADOS

A.
Sugerencia.
La aparición de los móviles.
El primer móvil de Ana.

¿De qué hablan? Hablan de los teléfonos móviles.

B.

FORMA	INFINITIVO	PERSONA
eran	ser	ellos
usaba	usar	yo
necesitaban	necesitar	ellos
estaba	estar	yo
costaban	costar	ellos
llamaba	llamar	yo
eran	ser	ellos
quedaba	quedar	yo
llamaban	llamar	ellos
charlábamos	charlar	nosotros
eran	ser	ellos
salía	salir	yo
cabían	caber	ellos
encontraba	encontrar	yo
empezaba	empezar	él

C.
Sugerencia.

-AR: NECESITAR	-ER: CABER	-IR: SALIR	IRREGULAR: SER
necesitaba	cabía	salía	era
necesitabas	cabías	salías	eras
necesitaba	cabía	salías	era
necesitábamos	cabíamos	salíamos	éramos
necesitabais	cabíais	salíais	erais
necesitaban	cabían	salían	eran

3 ¿YO, ÉL, ELLA...?

1. Vivía en Cádiz, pero a los 18 años me fui a Sevilla... (yo)
2. Hace unos años vivía en Puerto Rico con su familia, pero decidió... (él/ella)
3. Antes iba a una pizzería de la Plaza Mayor todos los viernes, pero me aburrí... (yo)
4. Perdone señora, ¿antiguamente iba a Zaragoza... (usted)
5. Sr. Presidente, antes no estaba a favor... (usted)
6. El anterior estaba en contra de la negociación, pero ahora hay un presidente... (él)

4 ANTES Y AHORA

1. comía
2. era/tenían
3. salíamos
4. estaba/fumaban
5. vivía/iba
6. sabía
7. hablaba
8. tenía/escuchábamos

5 UN CAMBIO DE VIDA

«Cuando yo era adolescente, en mi pueblo no **había** mucho que hacer. Para ganar algo de dinero, después del instituto, **trabajaba** ayudando a los pescadores algunas tardes. Lo mejor era que mi hermana y yo **tocábamos** la guitarra en un grupo y a veces **dábamos** algún concierto en Acapulco, la ciudad más grande de mi región. Pero en realidad **me aburría** bastante en un lugar tan pequeño. Por eso decidí venir a estudiar a México D.F.».

«En época de competición **entrenaba** ocho horas al día en la piscina, seis días por semana. Después de un campeonato **empezaba** a preparar el siguiente. No **podía** relajarme mucho: no **salía** con mis amigos, ni **iba** a discotecas, para no perder la forma física. Era muy duro pero me **gustaba** mucho. Por eso ahora soy entrenadora».

«Cuando **trabajaba** en la fábrica, **tenía** mucha responsabilidad: la producción, las ventas, los trabajadores... Una vez por semana, **viajaba** para reunirme con mis clientes en Madrid o Barcelona. Y una vez al mes **visitaba** los almacenes de mis distribuidores. Por las noches **dormía** muy pocas horas y siempre **tenía** mucho estrés. Además, con tanto trabajo, no **me tomaba** más de una semana de vacaciones seguida y **pasaba** poco tiempo con mi familia».

6 LA HABITACIÓN DE QUICO

A.
Sugerencia.
Cuando Quico tenía dieciocho años, vivía en casa de sus padres. Su habitación no era muy grande y siempre estaba un poco desordenada.
Casi cada día jugaba al fútbol, era su deporte favorito. En la pared de su habitación tenía un póster de Maradona, que era su ídolo.
Por las tardes, después de clase, tocaba la guitarra. También disfrutaba escuchando música, le gustaba la música folk especialmente.
Tenía bastantes libros en su habitación porque le gustaba leer. Además de leer también escribía, sobre todo cartas a sus amigos.
Su afición favorita era la fotografía; tenía varias de sus fotos colgadas en las paredes de su habitación.
Los fines de semana hacía submarinismo o iba a jugar a fútbol con sus compañeros.
A veces, salía a dar una vuelta en moto por la ciudad. Era un chico muy activo.

B.
Respuesta libre.

16. El imperativo

1 EL PERFECTO ROBOT DOMÉSTICO

1. recoge/friega
2. enchufa/plancha
3. ve /enciende. Pon/prepara
4. mete/pon/elige/aprieta
5. enchufa/elige/aspira

2 SÍ, SÍ, PASA

1. tú
2. tú
3. tú
4. tú
5. usted

3 LA SALUD ES LO QUE IMPORTA

A.
1. Haz
2. Duerme
3. Practica
4. Controla
5. Evita
6. Ve
7. Nada
8. Siéntate

B.
1. **Haz** ejercicio físico regularmente: abdominales, dorsales, y ejercicios de hombros.
2. **Duerma** sobre un colchón firme y de buena calidad.
3. **Practique** técnicas de relajación para calmar los dolores causados por el estrés o la tensión.

4. **Controle** su peso. **Recuerde** que el sobrepeso afecta también a la columna vertebral.
5. **Evite** levantar demasiado peso y si lo hace **flexione** las piernas para no forzar la columna.
6. **Vaya** al traumatólogo si el dolor persiste o es demasiado intenso. Nadie puede aconsejarle mejor que él.
7. **Nade** como mínimo, una vez por semana. La natación es un deporte muy completo y apto para todas las edades, que favorece la buena salud de las articulaciones y los músculos.
8. **Siéntese** con la espalda recta cuando **trabaje** con el ordenador y **recuerde** que el teclado debe estar en la misma línea que los brazos, no más arriba, ni más abajo.

17. Las construcciones impersonales

1 EL DÍA IDEAL PARA...

1. Día ideal para ir a la playa en Tenerife
Aquí en Tenerife hoy **hace** un día perfecto para ir a la playa. **Hace/hay** sol, pero no **hace** demasiado calor: 24 grados. Hay que aprovechar porque el resto de la semana va a **estar** nublado.

2. Día ideal para esquiar en el Pirineo Aragonés
Hoy en Jaca **hace** un día fantástico para acercarse a las estaciones de esquí de Candanchú y Formigal. Esta noche ha **nevado** abundantemente y tenemos 30 cm de nieve acabada de caer y en perfecto estado. No **hace** mucho frío, 5 grados, y.tampoco **hace** demasiado viento. En algunos puntos **hay** un poco de niebla, pero eso no dificulta la práctica del esquí.

3. Día ideal para pasear en San Sebastián
En San Sebastián hoy no **hace** ni frío ni calor: 15 grados, un tiempo ideal para pasear. Las calles están mojadas porque esta noche ha **llovido**, pero pueden salir sin paraguas porque hoy va a **hacer/haber** sol hasta el final de la tarde. Destacamos que en Deba esta noche ha **habido** una fuerte tormenta...

2 ¿CUÁNTO TIEMPO HACE?

Sugerencia.
1. Paco se casó hace dos años y ocho meses.
2. Lola nació hace dos años y medio.
3. Carmen volvió de Brasil hace dos años y tres meses.
4. Sergio empezó a trabajar en Molosa hace dos años.
5. Tere ganó un premio Goya hace un año y nueve meses.
6. Su hijo Nico nació hace trece meses.
7. Carmen se trasladó a Madrid hace seis meses.
8. Sergio dejó de trabajar en Molosa hace tres meses.

3 SE PUBLICAN DIARIAMENTE

A.
1. a	**3.** a	**5.** a
2. b	**4.** a	

B.
1. **Los periodistas económicos** publican diariamente en los periódicos de todo el mundo.
2. **El turco** se enseña únicamente en una escuela de idiomas del centro.
3. **Los mecánicos** reparan en un único taller mecánico de la ciudad.
4. **Los farmacéuticos** venden en las farmacias.
5. **Los médicos** pueden curar sin necesidad de usar antibióticos.

4 ¿SE VE?

1. ● ¿En tu habitación funciona bien la tele? Porque en la mía no **se ve** bien la imagen.
   ○ Pues aquí la imagen **se ve** pero no **se oye** bien el sonido. Creo que hay que arreglar la antena.
2. ● He leído en una revista del corazón que Javier Tardem tiene un hijo secreto. ¿Tú crees que es verdad?
   ○ ¡Eso son tonterías! Todo lo que **se dice** en esas revistas es mentira.
3. ● En este país no **se permite** fumar en los lugares de trabajo, está prohibido.
4. ● Las gafas oscuras **se usan** para protegerse del sol, pero algunas personas las llevan solo por razones estéticas.
5. ● Aquí los sellos **se venden** únicamente en los estancos y las cartas **se tiran** en cualquier buzón.
6. ● Oye, ¿en Canarias cómo **se pronuncia** el sonido de la «z»?
   ○ Pues igual que en América, como una «s».
7. ● Estoy harto de la ciudad, cada vez **se construyen** más edificios y más autopistas. Creo que en el campo **se vive** más tranquilo.
8. ● ¿Cómo **se llega** más rápido hasta el campus de la universidad? ¿En tren o en autobús?

 **MUNDO PLURILINGÜE**

Respuesta libre.

18. Ser, estar y hay

1 AMIGOS EN LA RED

A.

enfadado 😠   triste 😔

feliz 😃   muy triste 😣

contento 😊   sorprendido 😲

B.
Sugerencia.
1. Dante es un hombre italiano, es piloto y hoy está en Sao Paulo. Está enfadado porque ha perdido una maleta y no puede cambiarse de ropa.
2. Hernán es un hombre colombiano y hoy está en París. Es arquitecto, y hoy está un poco triste porque no le han aceptado un proyecto importante.
3. Juliette es una mujer belga. Es directora de marketing. Hoy está en Roma y está contenta porque tiene ganas de visitar la ciudad.
4. Yuri es un hombre ruso, es auxiliar de vuelo y hoy está en Madrid. Está feliz porque le han subido el sueldo.

C.
Respuesta libre.

2 FELIZ AÑO NUEVO

A.
1. España
2. Argentina
3. Colombia
4. México

B.
1. ¡Feliz Año Nuevo desde Málaga! En España ya **es** lunes. **Es** día 1 de enero y ahora **son** las doce y media de la noche. Como en toda Europa, aquí **es** invierno
2. Aún **es** domingo en Buenos Aires. En Argentina todavía **es** 31 de diciembre. **Es** verano y en este momento **son** las nueve y media de la noche
3. Aquí, en Cartagena, en Colombia, aún **es** domingo y **estamos** a día 31 de diciembre. **Estamos** en la época menos calurosa del año y en este instante **son** las seis y media de la tarde.
4. ¡Hola desde México D.F.! Aún **es** domingo en México. Aquí **estamos** a 31 de diciembre. **Es** invierno y en este instante **son** las cinco y media de la tarde.

C.
Respuesta libre.

3 QUÉ HAY EN...

Respuesta libre.

4 SER, ESTAR, HAY

1. a. hay una   b. está la
2. a. hay un   b. está el
3. a. está   b. es   c. hay
4. a. está el   b. hay un

MUNDO PLURILINGÜE

Respuesta libre.

19. El infinitivo y el gerundio

1 COMILÓN ES ALGUIEN QUE...

saber   conocer   comer
arreglar   estar
reír   hacer

2 PRACTICANDO, QUE ES GERUNDIO

1. sintiéndote
2. Comiendo, durmiendo
3. escuchando, hablando
4. Yendo, subiendo
5. metiendo
6. Sonriendo, pidiendo

3 ¿QUÉ ESTÁN HACIENDO?

1. está planchando
2. está vistiendo
3. está trabajando
4. está jugando
5. está sacando
6. está haciendo
7. está secando
8. están hablando

4 CAMBIOS

A.
1. está llegando
2. está yendo
3. está perdiendo
4. está riéndose y contando
5. está comprándose
6. está saliendo

20. Tipos de oraciones

1 LO OYES, ¿LO OYES?, ¡LO OYES!

A.
Actividad oral.

B.
1. ¿Llegas tarde al trabajo?
2. ¿Te ayudo con las bolsas?
3. Tengo que llevar mi pasaporte.
4. ¡Os han visto juntos por la calle!
5. Ese es el nuevo profesor de ciencias.
6. ¡Cuántos ejercicios hiciste hoy!
7. ¿Qué película hemos visto?
8. Te van a dar el puesto de director.

2 ¿QUÉ HACEMOS?

1. Qué	**4.** Qué	**8.** Quién
Cuál	**5.** qué	**9.** Cuál
2. Cuál	**6.** Qué	**10.** Qué
3. Qué	**7.** quién	**11.** cuál

3 SER O NO SER

1. Cuál	**6.** Quién
2. Cuál	**7.** Cuál
3. Qué	**8.** Qué
4. Qué	**9.** Cuál
5. Qué	**10.** cuál

4 CUÁNDO, CÓMO, POR QUÉ...

1. Cómo/Cuándo/Para qué
2. Cuánto/Cómo/Dónde/Por qué
3. Dónde/Cuándo/Para qué
4. Dónde/Por qué/Quiénes/Cuándo

5 CONSULTA NUESTRO CATÁLOGO

1. **¿Qué** es «Idea»?
2. **¿Quiénes** somos?
3. **¿Qué** necesitas para tu hogar?
4. **¿Cuánto** te quieres gastar?
5. **¿Cómo** quieres pagar tus compras?
6. **¿Dónde** te lo entregamos?
7. **¿Cuántas** tiendas tenemos?
8. **¿Cuál** es tu tienda más cercana?
9. **¿Cuándo** abrimos?
10. **¿Para qué** sirve nuestra tarjeta cliente?
11. **¿Quién** puede beneficiarse de nuestros descuentos?
12. **¿Por qué** comprar en una tienda Idea?

MUNDO PLURILINGÜE

Respuesta libre.